Scripto

Jean-François Chabas

Les rêves rouges

Gallimard

Pour Nathalie

L'auteur a bénéficié pour cet ouvrage du soutien du CNL.

. 1

– Ogopogo ! Ha ! Ho ! Ogopogo !

Voilà ce que criait Daffodil. Elle courait vers nous en agitant les bras dans tous les sens, avec une splendide énergie. J'ai d'abord pensé qu'elle faisait l'idiote – parce que c'était quand même assez fréquent, de sa part –, mais j'ai vu, tandis qu'elle se rapprochait, son visage blanc comme de la craie, et ses yeux grands ouverts.

Elle ne plaisantait pas du tout.

Maman a levé la tête du coffre d'où elle était en train de sortir les affaires pour le pique-nique.

– Qu'est-ce qu'elle a encore, l'autre maboule ?

– Ogopogo ! a crié Daffodil, en retour.

– Lachlan, ta copine m'épuise, a dit maman.

– Ce n'est pas ma copine, c'est mon amie.

– Ogopogo ! Ogopogo !

Maman a laissé retomber le lourd panier qu'elle était en train de soulever.

– Jeune fille, tu me crèves les tympans. Ne me fais pas regretter de t'avoir emmenée.

Dans un nuage de poussière, Daffodil s'est arrêtée net, puis elle a posé les mains sur le capot de la voiture, avant de les retirer aussitôt : la tôle était brûlante. Jamais je ne lui avais vu de tels yeux. Le mauve de ses iris rayonnait, comme sous l'effet d'une lumière qui serait venue du fond des orbites. Ce n'était pas un regard complètement humain.

– Madame Ikapo ! Lachlan ! Madame Ikapo !

Silencieuse, maman a croisé les bras. Mon amie a saisi ses cheveux, juste au-dessus de son oreille.

– J'ai vu Ogopogo !

Elle a tiré d'un coup sec, s'arrachant une touffe. Maman a tendu le bras, elle s'est emparée de la fine mèche noire dans la main de Daffodil, et elle a esquissé le geste dérisoire de la recoller sur le crâne. Je sais ce qu'elle ressentait : on avait envie de tout remettre en place. On aurait voulu que la fille aux yeux mauves ne se fasse pas de mal. Sauf qu'on ne sauve pas les gens malgré eux.

. 2

C'était un été terrible. On n'avait pas l'habitude de ces chaleurs, dans notre ville de Kelowna. Le sud-ouest du Canada, ce n'est pas le Sahara. On étouffait, et surtout on craignait les feux de forêt, comme ceux de 2003 et 2009 qui avaient, dans un bel affolement, provoqué l'évacuation de dizaines de milliers de personnes. Mais la nature a ses petits caprices, et si on cuisait, les arbres ne brûlaient pas. En revanche, tout le monde allait au lac Okanagan pour essayer de se rafraîchir. L'Ourse se baignait. C'est comme ça que maman appelle Kelowna, « l'Ourse », parce qu'en colville-okanagan, sa langue, *kelowna* signifie « grizzly femelle ».

Maman est une native. Si la fondation de Kelowna par les Blancs remonte à 1905, notre famille était là longtemps, très longtemps auparavant. Elle pêchait déjà dans le lac quand les caravelles de Colomb et les navires de Jacques Cartier n'étaient pas encore construits.

Moi, je sais que je suis natif okanagan par la branche maternelle, mais je ne connais rien de mon père. Il y en a qui disent que c'était un Shuswap, d'autres que c'était un Sinixt. Certains prétendent aussi que c'était un Nlaka-pamux. Maman refuse absolument d'en parler. Tout ce que je sais de lui, en définitive, c'est qu'il était d'un autre peuple, qu'il est parti avant ma naissance, et qu'on ne l'a plus revu.

Maman fabrique des décorations civiles et militaires pour une entreprise de Vancouver qui a une filiale chez nous. Elle regarde son travail avec une certaine ironie, parce qu'elle ne croit pas du tout à cela, les médailles et les prix. Un jour, elle m'a déclaré que c'était fait pour les gens qui ont besoin qu'on leur dise qui ils sont. Qu'elle préférerait encore, pour sa part, une tache de fiente au revers de sa veste. Ma mère est une femme dure. Peut-être parce qu'elle s'est retrouvée seule pour m'élever. Avec son esprit sauvage, je ne crois pas qu'elle aurait fait ce métier si elle n'avait pas eu un enfant à charge. Je sais qu'à quatorze ans il est impossible de tout comprendre des adultes, mais ça je le sens : il y a quelque chose qui vibre dans la poitrine de maman. Une sorte d'animal prisonnier qui demande à sortir mais qui ne peut pas, à cause de moi.

Rivée à sa machine à coudre, Flower Ikapo, ma mère, pince entre ses doigts des Croix de Victoria et des Médailles du service méritoire, elle serre les dents, et elle gagne notre vie.

Elle est généreuse, mais aussi tendre que du silex.

Pendant cet été torride, je lui ai découvert une nouvelle particularité : elle n'était pas sensible à la chaleur. Comme si, à la façon d'un réfrigérateur, elle avait généré de la fraîcheur, la canicule n'avait aucun effet sur maman. Quand j'allais la chercher à l'atelier, je trouvais ses collègues à bout de transpiration, écarlates, soufflant par les naseaux. Mais lorsque je touchais sa main à elle, je lui trouvais la fraîcheur inquiétante des bêtes à sang froid.

Daffodil Drooler est arrivée chez nous au cours de l'année scolaire précédant cet été étouffant. Elle venait d'Ottawa, l'austère capitale, et ne connaissait rien à la nature, rien à la région, rien à mon peuple. Elle se montrait aussi extrêmement bizarre. Assez petite, d'une ossature très fine, elle possédait cependant une force considérable. Nous l'avons vue, en cours, tordre une règle de fer à section carrée comme si ç'avait été du nougat. Ses nerfs lui tenaient lieu de muscles.

Des yeux mauves hors du commun, sortes de bijoux somptueux qui frappaient instantanément de stupeur celui qui les apercevait, lui auraient valu la jalousie des filles de la classe et du collège, si Daffodil n'avait été à moitié chauve. Les cheveux lui manquaient par touffes entières, comme si un coiffeur maniaque et facétieux lui avait appliqué une tondeuse sur le crâne, au petit bonheur.

Cela lui donnait parfois une allure de savant fou. Il arrivait même qu'elle ait des trous dans les sourcils, et, si elle paraissait ne pas y prêter attention, on se moquait d'elle.

Plus tard, Daffodil m'a expliqué qu'elle souffrait de trichotillomanie. C'est une maladie étrange : on ne peut s'empêcher d'arracher ses cheveux, ses sourcils, ses poils.

– Heureusement que je n'ai pas de barbe, disait-elle, imperturbable.

J'avais toujours eu beaucoup d'amis, et je vivais en groupe, au collège. L'arrivée de cette fille d'Ottawa a tout changé. Ses phares mauves m'ont précipité vers elle comme vers un feu de naufrageurs. Et puis, surtout, sa gaieté, celle du genre de personne qui vous fait l'effet d'une piqûre de vitamines, chaque fois qu'elle s'approche de vous. Cela tranchait tant avec la froideur de maman.

Il faut, pourtant, un prix à toute chose. Gagnant Daffodil, j'ai perdu tous les autres. Personne ne voulait traîner avec nous. On la trouvait anormale. C'est le mot qu'a utilisé Edward, mon faux frère : « Anormale ». J'aurais sans doute dû le cogner, pour un mot pareil. Au lieu de ça, j'ai tourné les talons.

J'ai entrepris de faire connaître mon coin à Daffodil Drooler. Elle s'enthousiasmait à peu près sur tout, depuis les plages sableuses du lac jusqu'aux canards, mais j'ai remporté mon plus grand succès quand je lui ai parlé d'Ogopogo. Succès un peu excessif, à dire vrai, parce que cette fille est devenue marteau du Méchant du Lac. Il n'y en a plus eu que pour lui.

– Non ? Non ! Il a tué des gens, vraiment ? Il est... il est dangereux ?

– C'est ce qu'on dit.

– Et il est là, dans le lac ? Comme le monstre du loch Ness ?

– Sauf que nous, ce n'est pas une légende.

– Hi, hi, hi ! Trop génial ! Un monstre dans le lac ! Trop super génial !

– Oui, euh, Daffodil... attention à tes cheveux, tu... Aïe ! Aïe ! Aïe !

Je ne me rappelle pas l'époque où j'ignorais l'existence d'Ogopogo. Je crois que j'en ai entendu parler depuis le ventre de ma mère. Son premier nom, N'ha-a-itk, qui signifie « le Méchant du Lac », ce sont mes ancêtres okanagan qui le lui ont trouvé. Et on dit que certains membres de notre famille vont, de temps à autre, sacrifier des poulets au monstre près de Rattlesnake Island. Je ne les ai pas vus faire. Maman n'est pas en bons termes avec les siens.

C'est la manière dont elle a mené sa grossesse qui leur a déplu. Il y a aussi des conservateurs chez les natifs. Des gens qui prétendent, au nom de la société ou de la religion, savoir mieux que vous comment vous devez vivre et mener vos affaires personnelles. Ceux qui croient qu'on doit penser à la place des femmes, car elles ne sont sans doute pas capables de décider de ce qui est bon pour elles.

Le fait que ma mère soit enceinte sans que le futur père soit présent faisait scandale dans la réserve okanagan, mais cette fois ils sont tombés sur un os, parce que c'est assez risible d'imaginer dicter sa conduite à Flower Ikapo. Autant essayer de dresser un carcajou à enfiler un tutu.

– Refuse qu'on soit ton maître.

Voilà le seul conseil, à mon souvenir, qu'elle m'ait jamais donné. J'essaie de le mettre en pratique. Je le sais bien, malgré tout : je ne serai jamais aussi irréductible que celle qui m'a mis au monde, seule, dans les bois du Bear Creek Provincial Park, à l'âge de dix-sept ans. Elle y avait été surprise par mon arrivée précoce – j'étais prématuré de trois semaines. Puisque, trop désargentée, elle n'avait pas de téléphone portable, et que nul ne répondait à ses cris, elle s'était débrouillée sans personne. Je suis né de ses seules mains.

Si j'avais vécu avec les Okanagan, j'aurais peut-être appelé le monstre N'ha-a-itk. Mais puisque maman s'est exilée chez les Blancs, j'ai le plus souvent entendu parler de lui sous le nom qu'ils lui donnent : Ogopogo. C'est très dommage, je pense, mais ma mère, par entêtement et par rancune, refusait de parler devant moi son dialecte originel, le colville-okanagan. Elle reniait sa famille jusque dans sa langue. C'est pour cela qu'elle s'est tardivement choisi le prénom de Flower, et qu'elle m'a nommé Lachlan.

Ici comme ailleurs, il y a des esprits forts qui ricanent, et prétendent que cette histoire de monstre lacustre est bonne pour les touristes. Que partout dans le monde où il y a une mare, on lui invente un habitant mystérieux à l'intention spéciale des gogos. Seulement, maman y croyait, au monstre. Alors, moi aussi. Selon elle, Ogopogo était un très grand serpent, de douze à quinze mètres de long, au corps large et massif, à la tête de chèvre ou de cheval (les témoignages divergeaient en cela). Il habitait autrefois Rattlesnake Island, et si les colons blancs qui l'y avaient cherché ne l'avaient pas trouvé, c'était qu'il décidait de se montrer – et de frapper – comme bon l'entendait.

Arrivé à l'âge de huit ans, à force de réfléchir, j'avais formulé une question :

– Maman, tu dis que le monstre était là à l'époque des anciens, ça veut dire il y a un sacré bout de temps, non ? Mais alors, il aurait quel âge ? Il est immortel, ou quoi ?

– Voilà une bonne question.
– Il ne vieillit pas ?
– Je n'en sais rien.
– Mais il est toujours là, dans le lac ?
– Oh, oui... tu peux compter dessus.
– Mais alors, comment il fait ?
– Lachlan, je ne suis pas une savante. Je couds des rubans et des rosettes. Tu ne peux pas trop en demander à mon petit cerveau de manuelle.

Maman avait un mince sourire qui démentait tout à fait ses paroles. C'était énervant. Je ne savais comment réagir.

Immortel ou pas, Ogopogo faisait parler de lui, et ça excitait certains enfants jusqu'à la folie douce. On se passait en boucle le film tourné par Art Folden en 1968, qui prouvait, c'était sûr et certain, l'existence du monstre. Les touristes photographiaient, faute de mieux, la statue verte érigée pour eux à Kelowna, mais ce monstre-là affichait une tête bien sympathique, n'ayant pas grand-chose à voir, à mon avis, avec les histoires du serpent géant qui tuait les pêcheurs, du temps où les Okanagan lui livraient des offrandes pour ne pas être massacrés. L'aspect sinistre de Rattlesnake Island accréditait, pour moi, les récits de maman. Je me disais qu'un jour on allait voir ce qu'on allait voir, et que ce serait épouvantable. Il y a des lieux qu'on devine hostiles, qui dégagent une indéfinissable malveillance. Chacun sait – cela dépasse tout raisonnement – qu'il y trouvera de la souffrance, ou, à tout le moins, des ennuis. On les évite. Rattlesnake Island est un de ces endroits. Quand on navigue sur le lac Okanagan et qu'on passe à proximité de l'île, on change d'humeur : subitement, on se sent irritable, vulnérable. C'est comme un début de grippe, une grande fatigue qui brûlerait les paupières. La mort n'est plus une idée lointaine repoussée avec un haussement d'épaules. La terre pelée, les roches grises de Rattlesnake Island, les quelques arbres rabougris qui y poussent, comme contraints à la difformité, disent que la nature, ici, souffre sous le joug d'un tyran. Ogopogo, N'ha-a-itk, le Méchant du Lac. Il est là, quelque part.

. 3

– Madame Ikapo, je vous jure sur… euh… sur la tombe de mes ancêtres, que c'est Ogopogo ! Il nage entre deux eaux par là, près du bord !

Je l'avais bien remarqué, que Daffodil était obsédée par le monstre, depuis que j'avais eu le malheur de lui en parler. Oh, elle en aurait eu vent, forcément, ce n'était pas un secret à Kelowna. Mais mon grand tort avait été de lui assurer, le plus sérieusement et sincèrement du monde, que maman était certaine de la réalité du grand serpent mangeur de pêcheurs. Or, pour des raisons que je ne débrouillais pas bien, Daffodil, dès l'instant de leur rencontre, il y avait de cela quelques mois, avait voué à maman une admiration sans limites. Peut-être était-ce dû à la comparaison qu'elle faisait avec ses parents à elle. M. et Mme Drooler étaient employés à la Canadian Trust Bank et ils avaient à peu près l'allure de deux souris grises.

Ils regardaient la vie à travers un brouillard de taux plein, d'emprunts, de courbes et de diagrammes, alors ils plissaient les yeux devant un monde qui leur était flou. Daffodil m'avait avoué que sa mère notait – pour de vrai, dans des dossiers qu'elle avait créés exprès sur son ordinateur – les vêtements des autres mères, à la sortie du collège. Col de chemisier mal repassé, moins un point. Jeans trop délavés, moins deux points. Son père, lui, aidait à l'occasion un ami huissier à poser des sabots sur les roues des voitures saisies, le week-end, parce que ça lui semblait une activité civique.

À ce compte, moi aussi, je me serais arraché les cheveux.

Maman, avec son large visage de bronze et ses yeux sombres, ses manières brusques et un peu trop franches, avait tapé dans l'œil de mon amie. Elles sortaient toutes deux du lot.

Le hic, le gros hic en vérité, c'était que maman n'avait pas besoin d'admirateur. Elle en était gênée et elle avait un peu tendance à fuir Daffodil, dont elle ne savait comment prendre les marques de dévotion. J'avais eu beaucoup de mal à la persuader, en ce jour d'été, d'emmener mon amie avec nous pour un pique-nique au bord du lac. Pendant tout le trajet en voiture, Daffodil avait discouru sur le monstre, ses mots se bousculant en une avalanche incessante. Cela ne m'embarrassait pas d'habitude, mais je l'avais entendue, cette fois, à travers les oreilles de maman, qui détestait le bavardage.

À peine nous étions-nous garés que mon amie avait ouvert une portière, puis elle avait couru comme une dératée vers le rivage, pour presque aussitôt revenir en hurlant qu'elle avait aperçu Ogopogo.

– Il est là-bas ! Là-bas ! On pourrait presque le voir d'ici, il faut juste dépasser ces buissons ! Venez ! Non mais, vous êtes bouchés à l'émeri, ou quoi ? Bordel !

Oh, pardon, madame Ikapo ! Amenez-vous, il va par... partir !

– Respire par le nez, jeune fille, a dit maman, qui se refroidissait à vue d'œil et prenait des allures d'iceberg.

J'ai lancé des œillades désespérées à Daffodil, mais elle n'y a vu que du feu.

Elle a attrapé le bras de Flower Ikapo, ma mère dure à cuire, et elle a tiré comme une brute.

Est-ce que j'ai dit que Daffodil était forte ? vraiment très forte ? Maman a décollé de l'herbe pour atterrir dans le giron de mon amie. Une vraie figure de tango. Je suppose que la fille aux yeux mauves aurait pu la tenir ainsi plusieurs secondes si sa victime ne lui avait susurré :

– Ça va barder.

Daffodil a gémi. D'une secousse extrêmement énergique, ma mère s'est dégagée de l'étreinte. Dans le même élan, ou presque, elle a intercepté la main de Daffodil qui allait empoigner une mèche de cheveux sur son crâne martyrisé.

– Pas touche !

Mon amie a essayé de rester tranquille. Je ressentais dans mes os la guerre civile qu'elle se livrait, partagée entre le remords d'avoir fait voler sa précieuse Mme Ikapo et son obsession pour le monstre. Elle a fini par grincer, entre ses dents serrées :

– Gnogopogo...

Comme maman prenait une grande inspiration, j'ai jugé qu'il était temps d'intervenir.

– On pourrait aller voir, non ? Il y a peut-être vraiment quelque chose ?

Cela faisait plus de dix ans que je scrutais la surface

de l'Okanagan, à la recherche du Méchant du Lac. Depuis les berges, est, ouest, sud, nord, depuis toutes les embarcations où on avait voulu de moi, j'avais usé des paires de jumelles, l'espoir chevillé au corps, Ogopogo, Ogopogo, Ogopogo... *Nada*. Et mon amie l'aurait trouvé si vite ? Mais comment savoir si Daffodil n'avait pas la chance du débutant ?

Ma mère a fait un geste du bout de l'index, pas excessivement chaleureux mais qui signifiait tout de même : « Allez... »

Nous avons filé.

Lorsque nous avons été tout près de la rive, Daffodil s'est mise à courir bizarrement. Elle était si énervée que ses foulées se transformaient en petits bonds contraints, un peu comme si tous les trois pas on lui avait pincé les fesses. Malgré ça, elle avait une pointe de vitesse de chien terrier, et j'avais du mal à la suivre. Nous avons contourné un petit bosquet. La pleine vue des eaux du lac nous était offerte. Daffodil a poussé un cri étranglé, et des deux mains tendues, à la façon d'un magicien qui jette un sort puissant, elle a désigné... un rondin. Ça, oui, je l'ai su tout de suite. L'erreur banale de l'apprenti chercheur en créature lacustre : quatre-vingt-dix pour cent des photos de monstres, chez nous, au loch Ness, au Pohénégamook, dans les billabongs australiens ou ailleurs, ce sont des souches et des rondins. Le bois est vieux, gorgé d'eau et ne flotte pas complètement à la surface, comme le ferait un tronc frais. Il est à demi émergé, nageant mollement sans décider s'il va couler ou rester un peu à la lumière.

– C'est ça, hein, c'est lui ? Hein ? Ouh là là là là !

– Daffodil...

– Il faut crier pour appeler ta mère ! Non ! Une photo ! Ou un film ! C'est ça, un film. On, on va... Mon portable ! Où est mon portable ? Tu as le tien ? Oh non ! Oh non ! Il faut, il faut... C'est pas croyable ! Madame Ikapo ! Non ! Attends ! Si on crie trop, on va le réveiller. Il a l'air de dormir.

– Daffodil ! C'est un rondin.

– Hein ?

– Une grume. Un fût. C'est du bois.

– N'importe quoi !

– Si. Tu peux me croire.

– Du bois qui zigzague ? Du bois qui ondule ?

– À cause des vagues. Ça fait des illusions d'optique.

– Mes fesses.

– Je t'assure. Moi aussi, au début...

– Tut ! Tut ! J'entends rien ! Tuut ! Tut !

Mon amie s'était enfoncé les pouces dans les oreilles, et elle klaxonnait. Je m'attendais à ce que cette conversation se termine par un spectaculaire arrachage de cheveux, mais Daffodil était un sac à malice : elle a fait deux pas sur la petite déclivité rocheuse qui surplombait le lac, et elle a plongé.

Maman m'avait cent fois prévenu. Il ne fallait jamais chercher à nager tout habillé, le poids des vêtements tirait vers le fond. Surtout si on était en hiver, avec une lourde veste, et qu'on était chaussé de bottes. Je parierais pourtant des tas de choses – des tas – que Daffodil aurait agi de la même façon en plein mois de janvier. Elle aurait coulé comme une brique. Mais ce jour-là elle n'avait presque rien sur elle, grâce soit rendue à l'été. Mon amie s'est éloignée de la rive en moulinant des bras, droit vers le rondin. Si on veut bien se rappeler qu'elle adhérait absolument aux croyances de ma mère, et que la statue d'Ogopogo au sourire crétin qu'on présentait aux touristes n'avait pas plus de sens pour elle que pour moi, cela signifiait que, dans son esprit, elle se précipitait vers un monstre tueur de pêcheurs.

J'ai sauté à l'eau.

. 4

– Qu'est-ce que je t'ai fait jurer ?

– Mais... maman !

– Lachlan, espèce de dégénéré, qu'est-ce que je t'ai fait jurer ?

– C'est ma faute, madame Ikapo.

– Toi, mademoiselle, zip-zip, bouche cousue !

– Mada...

– Zip !

Je ne suis pas assez inconscient pour le lui dire, mais quand elle est en colère, maman utilise des mots rigolos. « Zip », surtout dans sa bouche, ça ne sonne pas sérieux. On est écartelé entre l'envie de pouffer et la sagesse qui dicte de ne surtout pas se laisser aller, à un moment où on risque des représailles atroces.

– J'ai promis de ne pas nager dans le lac sans la présence d'un adulte.

– Ah ! Et tes promesses, tu les jettes à l'eau ? Bloub ?

J'ai entendu une sorte de couinement inquiétant, provenant de ma droite, là où se tenait Daffodil, les cheveux dégoulinants. Il ne fallait surtout pas que je la regarde.

– Maman… j'ai quatorze ans ! Et puis de toute façon tu étais juste à côté !

– Il faut trois secondes pour se noyer ! Bloub ! Bloub !

Le couinement s'est accentué, à ma droite. Comme si on appuyait sur une valve de pneu. Mais Flower Ikapo, plus remontée qu'un coucou suisse, ne se rendait compte de rien. Elle a laissé échapper un dernier « bloub ! », qui m'a été fatal.

J'ai éclaté de rire.

Tout se serait arrangé, je crois, si mon amie n'avait pas ri plus fort que moi. Maman a dû croire que c'était un défi à son autorité, mais quand on est nerveux, on est sujet à ces épisodes-là. C'est le célèbre rire des enterrements.

Nous n'avions pourtant pataugé qu'une minute, mon amie s'assurant que le rondin était bien ce qu'il était, puis nous avions fait demi-tour vers la rive, où nous attendait un dragon okanagan autrement effrayant.

Cette baignade, c'était déjà beaucoup en matière d'infraction aux lois maternelles. Le fou rire était de trop. Notre pique-nique a failli tourner court. J'ai vu maman regarder en direction de la voiture, puis décider *in petto* que ce serait trop d'embarras de tout remballer. Elle nous a tendu les deux glacières, aussi lourdes que des enclumes, et elle a marché en tête, sans nous accorder plus d'attention, en direction du coin tranquille, Autumn Beach, où nous avions nos habitudes mais qu'on ne pouvait atteindre qu'à pied, en crapahutant à travers les rochers. Je me rassurais en me disant qu'être transformé en mule pour une marche n'était pas cher payer notre insolence. Hélas !

Flower Ikapo n'en avait pas fini avec nous. Quand, essoufflés, les bras allongés de dix centimètres par le poids considérable des glacières, nous avons atteint la terre promise, maman nous a fait nous asseoir à cinq mètres l'un de l'autre, Daffodil et moi. Elle se tenait entre nous deux, à la façon d'un chaperon du Moyen Âge.

– Nous allons tous beaucoup rire, a-t-elle dit d'un ton sinistre.

Les iris mauves de Daffodil sont expressifs. Heureusement, parce que c'est la seule communication qui m'a été offerte pendant la première heure de ce drôle de pique-nique.

Au loin, déformé par une brume de chaleur, on distinguait le relief de Rattlesnake Island. Le ciel était si pur, le soleil si écrasant que l'île devait forcément y perdre un peu de ses maléfices, me disais-je. Je l'avais souvent vue environnée de brume, et c'était dans cette grisaille morose qu'elle régnait, maîtresse, sur le lac.

Régulièrement, Daffodil portait la main à ses cheveux, mais à chaque fois maman se raclait la gorge et mon amie suspendait le mouvement. C'était comme un jeu étrange, entre elles. Un jeu sérieux. Flower Ikapo semblait regarder ailleurs, se désintéresser, mais cela avait à voir avec ces attitudes de lionnes qui, paraissant s'ignorer mutuellement et bâiller d'ennui, suivent malgré tout le moindre frémissement du corps de la proche rivale.

La fille d'Ottawa avait un œil qui disait son affolement d'avoir fâché Mme Ikapo, l'autre qui se souvenait du rire, et qui pétillait. J'imagine que, si elle avait eu un troisième œil, il aurait été occupé à scruter la surface de l'Okanagan.

– C'est l'heure de manger, a dit maman.

– Ma petite, tu me dois une explication.

– Oui, madame Ikapo?

– Tu y crois dur comme fer, à N'ha-a-itk... à Ogopogo, n'est-ce pas?

– J'y crois comme vous, madame Ikapo.

– D'accord. Éclaircis donc mes pensées confuses: pourquoi est-ce que tu as entraîné mon fils vers ce bois flottant, si tu pensais que c'était le Méchant du Lac?

– Je ne l'ai pas entraîné!

– Elle ne m'a pas entraîné!

– Tais-toi, Lachlan. Alors, ma petite, qu'est-ce qui t'a pris?

– Je voulais vérifier, madame Ikapo.

– Ah, tiens.

– Pour être sûre.

– Si on te dit que c'est dangereux de traverser une autoroute, tu sauteras devant un camion? Pour vérifier?

– Beuh...

– Et tu vas t'asseoir sur un barbecue, pour vérifier que ça brûle?

À voir Daffodil se tortiller devant les questions de maman, j'étais au supplice. J'ai fini par me dresser d'un bond, avec au poing, en guise de sceptre, un pilon de dinde.

– Ce n'est pas pareil! Ogopogo, ce n'est pas vraiment, vraiment...

– ... Vrai ? a complété maman.

– Non, ce n'est pas ce que je veux dire. C'est vrai. Mais pas... pas complètement...

– Lachlan, nul besoin d'être une grande scientifique pour affirmer qu'une chose est soit vraie, soit fausse. Elle ne peut pas être les deux en même temps.

J'avais l'impression de proférer un affreux blasphème, mais je l'ai dit, tout de même :

– On n'a pas de preuves !

Daffodil, que j'essayais pourtant de défendre, a laissé échapper une exclamation indignée. Mais maman est restée impassible. Elle a posé sa bouteille de Clearly Canadian sur son genou.

– Je savais que le moment viendrait de raconter l'histoire de l'Idiot. Je pensais que tu serais seul à l'entendre, mais peut-être que cette demoiselle trouvera un bénéfice à écouter. En revanche...

Maman s'est penchée vers Daffodil. Elle a pincé les lèvres avant de continuer, ce qui était chez elle une manifestation de perplexité.

– En revanche, ce qui sera dit ici ne devra pas être répété, parce que je n'ai pas envie qu'on me traite de sauvage stupide.

J'ai pensé aux parents de Daffodil. Maman se méfiait d'eux, même si elle n'en disait jamais de mal. Mon amie n'a pas répondu. Elle s'est contentée d'attendre, parce que sa loyauté allait de soi.

. 5

– À la fin du XIXe siècle, cinquante ans avant la création de la ville moderne de Kelowna par les Blancs, cet endroit se nommait Nor-kwa-stin, « La Pierre noire dure », parce qu'on y trouvait du silex pour les pointes de flèches. Les premiers Blancs qui se sont installés étaient des religieux français, appelés les Oblats. Ils ont bâti une mission.

– Maman, on l'a appris à l'école.

– Ton amie n'en sait rien. Pas vrai, Daffodil ? Bien. Ils ont donc bâti leur mission et, comme ils l'ont fait partout et de tous temps, ils ont commencé à expliquer que les religions des tribus étaient mauvaises. Qu'il fallait devenir chrétien. Beaucoup d'Okanagan n'étaient pas d'accord, mais certains se sont laissé convaincre, parce que ces Blancs étaient persuasifs, et parce qu'ils plantaient des arbres aux fruits qu'on aimait manger. Dans les rangs de ces convertis, il y avait l'Idiot.

– Qu'est-ce que c'était, son vrai nom ?

– C'est comme ça qu'on l'appelle. Pas la peine de blesser sa famille en rappelant comment il s'est laissé berner. L'Idiot était pêcheur, ce qui n'avait rien de particulier ici. Il a abandonné l'ancienne religion, celle du respect des dieux de la terre et des eaux. Il a tout fait exactement comme les missionnaires lui ont dit de faire, il a même été baptisé. On lui a aussi demandé de laisser derrière lui les superstitions, et pour les Blancs, N'ha-a-itk était une superstition. L'Idiot a encore dit oui. Seulement, les missionnaires avaient peur qu'il mente, qu'il ne soit pas aussi fidèle et sincère qu'il le prétendait. Ils l'ont mis à l'épreuve. Ils avaient remarqué que les Okanagan évitaient de pêcher aux alentours de Rattlesnake Island, qu'ils ne s'y rendaient que pour des cérémonies et des sacrifices. Histoire de voir si l'Idiot était bien à leur botte, ils lui ont ordonné d'aller pêcher là-bas. Exclusivement là-bas. Il l'a fait.

Daffodil avait entortillé une énorme mèche de ses cheveux noirs autour de son poing. Bien trop épaisse, cette fois, pour être arrachée. D'attention, la fille aux yeux mauves entrouvrait la bouche. Quant à moi, j'étais très étonné du récit de maman, puisqu'elle ne m'avait jamais parlé aussi longtemps de notre nation.

– L'Idiot s'est mis à pêcher aux alentours de Rattlesnake Island, sans la protection des cérémonies. En les raillant, même. Heureusement pour lui, les Okanagan ne sont pas un peuple violent. Chez d'autres nations, ce comportement aurait pu faire tuer l'Idiot. On s'est contenté de le laisser faire. On ne se rendait pas compte que, dans les décennies qui suivraient, les Blancs allaient tout bonnement interdire les religions, proscrire la langue, puis massacrer beaucoup de monde, en inoculant volontairement, par exemple, la variole à des femmes et des enfants, avant de jeter les survivants dans des réserves. On pensait qu'il y avait de la place pour tous et que, quant à l'Idiot, le Méchant du Lac avait assez de discernement pour ne pas punir tout un peuple à cause de la faute d'un seul. Chaque jour, l'Idiot s'enhardissait. Au début, il s'était contenté de pêcher. Mais, grisé par le fait de se retrouver indemne chaque soir, de ne jamais subir d'alerte, il a commencé à insulter N'ha-a-itk, pensant ainsi plaire un peu plus à ses nouveaux maîtres, auxquels il ne manquait pas d'apporter en présent ses plus beaux poissons. « Créature imaginaire ! Serpent d'algues ! J'ai la vraie religion, tu n'existes pas ! » Voilà ce que criait l'Idiot. Alors, évidemment, il a payé.

– Je n'ai jamais entendu parler de ça, ai-je dit.

– Parce que je ne t'en ai pas parlé.

– Parce que tu me tiens loin de la famille.

Découvrant l'expression qui se dessinait sur le visage de maman, j'ai baissé la tête.

– Un matin, l'Idiot est parti pour Rattlesnake Island. On raconte qu'il chantait à tue-tête un de ces psaumes chrétiens qu'on lui apprenait à la mission. La veille, on avait vu un nuage vert au coucher du soleil, au-dessus de l'endroit nommé aujourd'hui Cougar Canyon, et nos sages avaient déclaré que c'était un présage de deuil. L'Idiot avait ri. Il prétendait être un homme moderne. Son embarcation était solide, il avait le corps vigoureux, l'interprétation des signes défavorables était une affaire d'arriérés. Il en tenait pour le concret. Son bateau était bien le plus solide de tous, mais sa tête pleine d'eau, c'est cela qu'il aurait fallu écoper.

– Il est mort ?

– C'est ça, hein ? Il est mort ?

– Attendez voir. On pourrait croire qu'il avait mérité son sort, l'Idiot. Pourtant, une chance lui a encore été donnée. Peut-être que les authentiques imbéciles sont ceux qui laissent passer les cadeaux sans les voir. D'un coup, alors qu'il n'y avait aucun vent, des vagues se sont creusées à la surface du lac. Chacun sait que N'ha-a-itk, quand il est irrité, provoque des bourrasques ou des tourbillons. Et, bien entendu, de grosses vagues, quand il frappe la surface avec sa queue.

– C'est vrai, madame Ikapo ?

– Ça date de mon arrière-arrière-arrière-grand-père. Ce n'est pas si vieux.

Je découvrais un aspect de maman que j'avais jusqu'alors absolument ignoré. À force de ne jamais rien me dire sur notre famille, de refuser de parler colville-okanagan, et de vivre parmi les Blancs à fabriquer ces grotesques décorations, elle avait fini par me faire croire que son passé était oublié. Ses racines, aussi. Je ne m'étais jamais senti natif sauf lorsqu'on me l'avait fait remarquer, de l'extérieur. À cause de mon apparence. On m'avait appelé « l'Indien », pas avec une grande méchanceté, mais c'était suffisant pour me singulariser. L'histoire de l'Idiot faisait surgir mes origines, comme Ogopogo sortant ruisselant des eaux de l'Okanagan.

– Au lieu d'entendre raison, de rentrer chez lui et de faire pénitence, l'Idiot s'est contenté de s'abriter dans une anse, le temps que les vagues se calment. Eh oui, on ne l'appelait pas l'Idiot pour rien. Deux bûcherons de Kickininee l'ont aperçu là, et ils l'ont salué du rivage en lui demandant s'il n'allait pas prendre son bateau sur son dos pour rentrer à pied par la berge.

« Je suis un homme des temps modernes », a-t-il répondu. Ce que cela signifiait exactement, les hommes de Kickininee ne l'ont jamais su. Ils sont partis couper du bois. C'est eux qui ont vu l'Idiot vivant, pour la dernière fois. À la nuit venue, l'homme des temps modernes n'était pas revenu. Le lendemain, non plus. Son bateau aussi avait disparu. C'en était fini de l'Idiot.

– C'est tout ? Mais... c'est nul, madame Ikapo ! Enfin, non, ce n'est pas nul, mais... il a peut-être juste coulé, ou il s'est noyé à cause des vagues... Elle est moisie, cette histoire, enfin non, ce n'est pas ce que...

– Laisse tes cheveux tranquilles. Qui sait, ma très chère Daffodil, si tu ne la trouves pas nulle, mon histoire, parce que tu ne m'as pas laissée finir...

– Oh ! Je suis désolée, madame Ikopa !

– Ikapo.

– Oui, Ikapo. Et alors ? Alors ?

– Je ne sais pas si je vais continuer à la raconter, mon histoire moisie.

– Je ne parlerai plus. Plus du tout, euh, jamais !

– Ça, c'est une vaine promesse.

Daffodil s'est mise à tirailler une de ses mèches. Vivement, maman a mis sa grande main osseuse sur celle de mon amie.

– Je termine, d'accord. Il y en avait qui pensaient que N'ha-a-itk avait tué l'Idiot. D'autres – comme toi –, qu'il s'était noyé. Mais on n'avait des preuves de rien. Les jours ont passé, les semaines. Les Oblats avaient vite remplacé leur chouchou. Mais, par un jour de vent de nord, mon arrière-arrière-arrière-grand-tante a lancé son filet, et, en plus d'une perche noire, elle a trouvé dans les mailles une mâchoire humaine.

– C'était l'Idiot ?

– Tu ne venais pas de promettre un silence éternel ?

Les buissons qui jouxtaient notre lieu de pique-nique ont bruissé, puis j'ai entendu une voix que j'ai immédiatement reconnue :

– Tiens ! Lachlan ! Et il est avec l'anormale !

. 6

C'était Edward. Accompagné par ses Rémoras. Daffodil leur avait trouvé ce nom, en référence aux poissons qui font ventouse sous le ventre des requins pour profiter des miettes et voir du pays sans se fatiguer. Voilà le maximum de méchanceté dont elle était capable, et cela n'avait pas beaucoup de poids face à la hargne.

Il y a des relations qu'on a honte d'avoir entretenues, dont on porte le souvenir comme une tache indélébile. Edward n'était pas devenu horrible par la magie de l'apparition de Daffodil. Je le connaissais depuis que nous avions deux ans. Nous avions mangé des poignées de sable dans les mêmes bacs à sable, nous avions appris à faire du vélo ensemble.

Betsy et Liam Sink, ses parents, étaient des poissonniers, gros travailleurs qui se levaient à quatre heures du matin, finissaient de nettoyer leur étal à vingt et une heures, et s'écroulaient de fatigue pour recommencer le lendemain. Ils étaient d'une gentillesse qui leur avait valu l'affection de maman, rien que ça.

Mais leur fils ne leur ressemblait pas.

Maintenant que mes yeux étaient dessillés, et que je

regardais Edward avec moins de partialité aujourd'hui qu'il n'était plus mon ami de toujours, je me rappelais sa cruauté étrange, sa manie de jeter des sauterelles vivantes sur le barbecue, cette façon, aussi, qu'il avait d'être cauteleux avec les adultes pouvant lui procurer des avantages. Sa propension à dénoncer les autres, avec un petit sourire de plaisir.

J'ai compris un peu tard que, dans l'attachement qu'on porte à quelqu'un, on peut atteindre un aveuglement. Edward avait été pour moi une sorte de frère. On ne se détourne pas d'un frère avec un haussement d'épaules. Il avait fallu qu'il s'en prenne à Daffodil avec une cruauté si gratuite, si destructrice, que je m'étais trouvé obligé de choisir un camp.

Il a traversé les buissons et, cheveux blonds rendus presque blancs par le soleil, yeux gris translucides, il s'est tenu là comme une statue. On pouvait dire beaucoup de choses d'Edward, mais pas qu'il passait inaperçu. Il avait quelque chose de ces marbres romains des livres d'histoire. Les Rémoras ont surgi derrière lui, d'abord hilares, puis instantanément calmés par la constatation de la présence de Flower Ikapo. Ils formaient une drôle de bande : Farren et ses oreilles pointues et poilues de renard, le grand et gros Owyn aux yeux minuscules, le fantomatique Rayford, pâle et silencieux. Quelques mois auparavant, j'avais fait partie de ce groupe. J'avais été le quatrième Rémora.

– Bonjour, Flower, a dit Edward.

Maman a hoché la tête. Depuis bien longtemps, Edward ne cherchait plus à la tromper, elle. Il savait qu'elle le connaissait. Ma mère n'est pas un être facile à gruger. Elle lit dans les âmes. Une fois seulement – j'avais huit ans –, elle m'avait recommandé de prendre un peu de distance avec lui, mais elle n'avait pas cherché à m'y forcer. En raison, je crois, de son amitié pour les Sink, et puis parce que maman fait partie de ces adultes qui préfèrent que vous preniez la mesure de vos erreurs par vous-même, plutôt que d'imposer leurs règles. Désormais, entre Flower Ikapo et le bourreau des sauterelles, c'était à celui qui serait le plus froid. Une guerre polaire. Edward avait un trait de caractère qui lui valait, à l'école et chez tous les adolescents de Kelowna, même plus âgés que nous, un grand prestige : l'impassibilité. Jamais il ne se démontait, même lorsque les circonstances lui étaient défavorables. N'importe quel garçon de quatorze ans aurait déguerpi devant les yeux de ma mère, capables de perforer une plaque de titane, mais lui n'avait pas l'air plus gêné que s'il nous avait rencontrés seuls, Daffodil et moi. Les Rémoras, eux, trouvaient un soudain intérêt aux mottes herbeuses, ou au passage des rares nuages dans le ciel d'été.

– Belle journée pour promener les... touristes, a encore dit Edward.

Je ne sais comment il jouait de ses intonations, mais la phrase anodine a sonné comme une insulte. Les plus grandes détestations naissent des affections mortes. Maman a lâché un bâillement d'iguane.

– Les garçons, allez donc voir ailleurs, si j'y suis...

– Bien sûr, Flower, a dit Edward.

Puis, tournant le dos, il a ajouté à mi-voix :

– On vous laisse entre filles.

Je me suis accroupi pour me lever, mais ma mère a répondu, et ça m'a fait me rasseoir tout de suite :

– Si quelqu'un ici pense que le mot «fille» est une injure, il faut qu'il me le dise bien en face.

Edward s'est immobilisé un très bref instant, puis il a écarté les buissons, et il est parti en emmenant ses Rémoras.

– Pas vrai? a ajouté maman en fixant Daffodil. Pas vrai qu'on est fières d'être filles?

– Une mâchoire humaine, oui, voilà ce que mon arrière-arrière-arrière-grand-tante a trouvé dans son filet.

Comme si de rien n'était, ma mère avait repris son récit.

– Celle de l'Idiot?

– Oui, mademoiselle.

– On ne peut pas en être certain! Il n'y avait pas d'ADN du temps de votre arrière-arrière-arrière-grand-tante! Bon... si, il y en avait, mais on ne savait pas comment le trouver.

– Mais on possédait tout de même une cervelle, ma petite. Et l'Idiot avait un point d'or qu'un dentiste blanc lui avait posé dans une carie, sur le côté d'une dent de sagesse. De l'or dans la bouche, chez les Okanagan de cette époque, c'était plus que rare. Oui, on avait bien affaire à la mâchoire de l'Idiot. Aucun doute là-dessus.

– Je veux bien, d'accord. Mais qu'est-ce qui dit qu'il ne s'était pas noyé? Ça faisait des semaines, non?

– C'est là que mon histoire moisie devient intéressante. Il y avait, sur cette mâchoire, de profondes traces de crocs. Très, très profondes. De celles que même un loup, même un ours grizzly ne peuvent infliger. Et encore moins les animaux aquatiques du lac.

– Ogogopo !

– N'ha-a-itk.

L'après-midi avançait. Daffodil et moi, assis à l'ombre d'un pin, n'avions pas envie de quitter le rivage de l'Okanagan, dont les eaux nous rafraîchissaient. Maman s'était allongée sur un rocher, où, en plein soleil, elle réchauffait son sang froid.

Je pensais à l'Idiot, à Ogopogo, mais aussi à Edward et ses Rémoras. Quand celui qui avait été mon frère s'en prenait à quelqu'un, il ne le lâchait que s'il considérait qu'il en avait fini. Il entretenait des entêtements bornés, exactement à l'opposé d'un emportement passager. Il nuisait avec méthode, et il pouvait s'acharner des mois durant. Quand nous venions de fêter nos sept ans, un garçon du quartier lui avait emprunté une toupie, puis avait refusé de la lui rendre, et au bout du compte avait rapporté le jouet tordu, inutilisable. Edward ne s'était pas énervé. Il n'avait même fait montre d'aucune animosité particulière. Mais trois mois plus tard, le chien du garçon avait été retrouvé agonisant sur le gazon devant la maison, l'écume aux babines. Dans son ventre, on avait découvert des boulettes de viande truffées de mort-aux-rats. Pendant une période qui m'avait semblé interminable, on s'était regardés, entre voisins, avec une méfiance rendant l'atmosphère asphyxiante, car personne ne soupçonnait Edward en particulier.

Mais moi, je savais. Il ne m'avait rien dit, il n'avait pas proféré une menace. Pourtant, la crispation de ses lèvres, lorsque le garçon avait posé dans sa main la toupie abîmée, promettait une guerre. Edward avait tué un gentil golden retriever pour la faute vénielle de son maître.

Par en dessous, j'ai regardé Daffodil. Elle était en train de tirer sur son sourcil gauche, dont elle arrachait les poils avec une distraction méthodique. Si je l'avais osé, si maman n'avait été si près de nous, j'aurais pris dans mes bras la fille aux yeux mauves. Est-ce que, si je lui racontais mes années passées au côté d'Edward, et tout ce dont je m'étais rendu complice, elle m'estimerait encore un peu ?

Elle surveillait la surface de l'Okanagan. Elle rêvait d'Ogopogo, le monstre serpent, le Méchant du Lac.

. 7

Les parents de Daffodil nous ont rejoints en fin d'après-midi. Ils étaient si pâles que, face à maman et moi, ils semblaient diaphanes. Je m'étais souvent demandé pourquoi ils nous abandonnaient leur fille, alors que nous étions à des années-lumière de leur monde, et que la tolérance n'était pas leur vertu cardinale. Ma mère ne risquait pas de compter les points pour les chemisiers et les jupes en compagnie d'Ann Drooler. Encore moins d'aller embêter les gens qui ne pouvaient payer les traites de leur voiture en posant des sabots avec Jasper Drooler, elle qui avait si souvent reçu la visite des huissiers. Il était presque impossible de trouver, dans la même ville, des tempéraments plus dissemblables et des morales plus différentes.

Alors je m'étais creusé la tête, à essayer de deviner pourquoi ces gens laissaient Daffodil en notre compagnie, qu'ils auraient pu craindre contagieuse.

La réponse m'était venue un jour à la sortie de l'école, quand j'avais surpris une expression étonnante sur le visage d'Ann Drooler discutant avec maman: elle l'enviait. Elle aurait voulu être comme elle. Libre.

Pas seulement délivrée du poids des autres, et de la société qu'elle s'appliquait pourtant à figer. Surtout délivrée d'elle-même, qui s'écroulait sous la masse de ses propres préjugés. L'orgueil pourtant empêchait la mère de Daffodil d'afficher la même admiration passionnée que sa fille. Et puis, Ann Drooler était une adulte. Elle ne pouvait pas rêver, comme une petite fille, de devenir une autre Flower Ikapo. Elle se contentait de venir humer, près de l'Indienne okanagan qui fabriquait des décorations et se moquait de tout et de tous, un peu du parfum de l'audace.

– Je vous paye le ski nautique !

Daffodil a fixé son père en fronçant les sourcils. Maman a fait un de ses minces sourires.

Les coins de la bouche de Jasper Drooler se sont affaissés.

– ... Non ? Ça ne se fait pas ?

Il s'est retenu, juste à temps, d'ajouter : « Chez les Indiens ? »

– Si... a répondu maman. Ça se fait.

– Pour vous remercier d'avoir gardé Daffodil !

– Gardé... Vous savez, elle se garde très bien toute seule, à son âge.

– Ha ! Ha ! D'accord pour le ski nautique ? Je vous le paye.

– J'avais bien compris. Pourquoi pas ? Vous faites du ski nautique, vous-même, Jasper ?

– Eh bien, dans ma jeunesse...

– Jasper était un champion ! a dit Ann Drooler, un peu trop vite.

– Racrâââh ! Crââåhh ! Je... je ne comprends... crââh ! Je ne comprends pas !

– Ne parlez pas, Jasper. Respirez !

Maman était penchée sur le père de Daffodil. Quand j'étais bébé, elle avait travaillé sur le lac, et à cette occasion, elle avait passé le brevet de secourisme obligatoire.

Allez savoir comment il s'y était pris : Jasper Drooler s'était assommé avec un de ses skis, qu'il avait pris dans la figure deux secondes après qu'on avait commencé à le tracter. Sa femme, Daffodil, maman et moi, nous avions tous plongé en même temps pour le récupérer. Il gisait sur le pont de plastique granuleux du bateau.

– Crâââh... champion... crââ... universitaire !

– Je n'en doute pas. Vous êtes juste un peu rouillé. Ça va vite revenir.

Daffodil s'était presque entièrement épilé un sourcil, et elle s'attaquait à l'autre. Je me suis approché d'elle et je lui ai pris la main. Ses doigts étaient tièdes, amollis et fripés par l'eau de l'Okanagan. Une veine bleutée battait à son poignet. J'ai failli lui dire à voix haute que je l'aimais, là, devant tout le monde. Mais, comme depuis des semaines et des semaines, je me suis contenté de me le dire à moi-même.

Après un coup pareil, je crois qu'à la place du père de Daffodil j'aurais rendu les skis, le bateau et toute la panoplie, puis que je me serais caché deux mois à la maison en me faisant livrer des pizzas – glissées sous la porte. Mais Jasper Drooler, selon son expression, ne voulait pas gâcher. L'argent de la location, s'entend. C'est Ann qui a pris la suite. Elle skiait très bien, et, quand elle a commencé à s'amuser vraiment, elle a révélé ce qu'elle aurait pu être sans son encombrant bagage de conventions. Elle riait la bouche grande ouverte, comme les petits du *kindergarten*. Elle avait perdu trente ans. Daffodil la considérait avec un étonnement un peu inquiet, celui qu'on a devant la conduite inédite d'un être qu'on croyait connaître par cœur. C'était plutôt Ann, la championne. J'étais bien certain qu'à ce moment elle avait tout à fait oublié ses idées de points vestimentaires. Maman l'encourageait, en y mettant un enthousiasme à elle, c'est-à-dire que, le visage imperturbable, elle sifflait entre ses dents. Ensuite, Daffodil et moi nous sommes fait tracter, assis sur une petite banane gonflable rouge cerise. Nous sommes tombés à l'eau plusieurs fois. Je ne sais si c'était dû à la fatigue ou s'il y avait là quelque chose de prémonitoire, mais lors de notre dernière chute, tandis que j'ajustais le gilet qui me remontait sous les aisselles et le menton, j'ai soudain éprouvé une très grande angoisse. La banane était loin devant, Daffodil aussi, qui avait réussi à s'accrocher quelques dizaines de mètres de plus. J'étais seul dans l'eau. « Dix mille ans. » C'est ce qui m'est venu. On nous avait appris, à l'école, que notre Okanagan avait dix mille ans. Que c'était un lac méromictique, dont les eaux de surface et celles du fond mettaient beaucoup de temps – des mois, voire des années – à se mélanger. Ces leçons laborieusement apprises me sont revenues d'un coup, et avec elles, la panique : qu'est-ce qui se trouvait dans les froides eaux des profondeurs, qu'est-ce qui pourrait remonter pour me happer, sinon Ogopogo, le Méchant du Lac, qui laissait d'énormes traces de crocs sur les mâchoires humaines ? Pourquoi maman me laissait-elle nager là-dedans, après nous avoir raconté la mort horrible de l'Idiot ? La peur m'avait parfaitement capturé et je me demande si, sans gilet, je n'aurais pas coulé comme une brique.

J'ai distingué, au loin, Daffodil qui était montée dans le bateau et me faisait de grands signes tandis qu'on manœuvrait pour venir me chercher. C'était trop tard, j'allais être... mangé.

En pensée, j'ai dit à Ogopogo que je ne voulais pas l'offenser, que je croyais en lui et aux religions anciennes, même si maman ne me les avait pas enseignées. Que je ne le dérangerais plus. Que je n'étais pas de la famille de l'Idiot. Lorsque j'ai senti un contact contre mon genou, j'ai marmonné :

– Ça y est, oh ! Ça y est ! Meurs bravement, Lachlan.

Il y a eu un autre frottement, le long de mes fesses, puis sur mon omoplate. Ça m'a donné l'impression que j'étais léché par le grand serpent, qui goûtait ma peau avant de mordre. Laissant échapper un petit cri, je me suis débattu pour ne pas être une proie passive : mais ce n'était qu'un grand emballage de plastique dérivant à la surface. Une des pollutions que l'Ourse rejetait dans l'Okanagan.

Maman skiait facilement, elle aussi. Avec moins de brio qu'Ann Drooler, mais elle se débrouillait. Ma mère se débrouille toujours. Je ne l'ai jamais surprise à faire n'importe quoi, quel que soit le domaine. Un peu comme si, dans des vies précédentes, elle s'était préparée à tout. Peut-être est-ce parce qu'elle est entièrement à ce qu'elle fait, peu importe la tâche. Maman est une rebelle concentrée.

Quand nous avons été fatigués, nous avons traîné sur le pont du bateau. Après qu'on m'avait récupéré, je n'étais pas retourné à l'eau, prétendant avoir trop bu la tasse. Jasper Drooler s'est endormi. J'étais vaseux, somnolent, après la panique qui m'avait vidé de mes forces. Dans cette torpeur, j'écoutais la conversation que menaient à voix basse maman, Daffodil et Ann Drooler.

– Nous nous en sommes mieux sorties que les garçons, a dit ma mère.

– Oui, a ajouté Ann. Je ne suis pas féministe, mais...

– Non ? Et pourquoi ça ? Pourquoi est-ce que vous n'êtes pas féministe ? Vous êtes une femme ! Féministe, c'est une injure ? Moi, je suis féministe !

Daffodil est venue s'allonger tout près. Si elle était fatiguée, ça ne se voyait pas : elle était agitée par son éternelle danse de Saint-Guy. Est-ce qu'il y avait seulement une photo où elle n'était pas floue ? Il aurait fallu un de ces appareils que les professionnels utilisent pour la formule 1 ou le patinage artistique.

Elle m'a touché une côte, du bout des doigts.

– Tu dors ?

« Non. Je t'embrasserais bien. Je voudrais poser mon oreille sur ta poitrine, pour écouter battre ton cœur quand tu me parles d'Ogopogo. J'aimerais aussi avoir le pouvoir magique de te tranquilliser, que tu puisses enfin arrêter de te faire du mal. T'apporter la paix, par une grande caresse. »

– Lachlan ? Tu dors ?

– Non.

. 8

En faisant plusieurs fausses manœuvres, Jasper Drooler a noyé le moteur de notre bateau. Maman a dû enlever le capot et faire sécher les bougies. Le soir venait. Les autres embarcations de sortie par la belle journée chaude – voiliers, *boston whalers*, kayaks, canoës, vedettes ou skiffs – rentraient, une par une, au mouillage. Ann Drooler était reprise par ses démons. Elle se tordait les mains et répétait, d'une voix rendue atone par l'inquiétude :

– Nous allons être en retard, le loueur va nous faire des histoires. Ça ne serait pas raisonnable, d'avoir à payer un supplément. Est-ce qu'il y en a pour longtemps ? C'est très ennuyeux, très ennuyeux...

Comme j'avais faim et que ça me mettait de mauvaise humeur, je lui aurais volontiers demandé si elle n'avait pas des plis de jupe et des longueurs de pantalon à noter pour son grand concours d'élégance mondiale. Si bien que, lorsque Daffodil m'a tiré sur le bras à me le démonter, en me sifflant : « Ogopogo ! » dans le conduit auditif, j'ai ouvert la bouche pour brailler que ça commençait à bien faire. Mais ma mâchoire est restée entrouverte, à cause de ce que me désignait la fille aux yeux mauves.

Ce n'était pas un tronc, ni un plastique flottant. Ça avait des proportions monumentales. Et c'était vivant.

Les reflets du soleil rouge plongeant dans l'Okanagan donnaient à l'eau la semblance d'un sang vermeil. L'apparition en émergeait à trois endroits distincts. Peut-être la tête, le milieu du corps et la queue. Cela s'étirait sur une longueur considérable, mais nous nous trouvions loin, à au moins trois cents pieds de là.

Facile à dire, a posteriori, qu'il aurait fallu crier pour alerter les autres. Mais même Daffodil, qui dans la journée s'était montrée si prodigue en hurlements, restait à peu près muette. Au comble de la surexcitation, elle ne produisait que des sortes de sifflements de petit train électrique.

« Il était là, il était bien là en dessous, pendant tout ce temps, me suis-je dit. Il nous voyait, il nous entendait, et il sentait notre odeur. »

Dans le crépuscule, le corps même du monstre était rouge. J'ai eu la nausée. Cela venait d'un je-ne-sais-quoi, un sentiment surgi des temps anciens, de la mémoire commune des hommes, de la période où nous étions dévorés par les grands animaux, où nous devions nous cacher, tremblants près du feu, un silex taillé à la main pour seule arme ; où nous dessinions nos ennemies les bêtes féroces sur les parois des grottes, sur les rochers à même le vent, pour tenter d'apprivoiser la terreur qu'elles nous inspiraient, ou nous approprier leur force.

J'ai mis mes mains en visière au-dessus de mes arcades. Les rais du soleil déclinant me brûlaient les yeux. Le Méchant du Lac, le grand serpent, avait disparu. À ce moment seulement, j'ai éprouvé la douleur physique : Daffodil avait enfoncé ses ongles dans mon biceps. Je saignais un peu. Nous nous sommes tournés vers les adultes. Je m'attendais à les trouver aussi bouleversés que nous, mais maman et Jasper étaient penchés sur le moteur. Ann les surveillait attentivement, comme si par la seule force de sa concentration elle avait pu hâter les réparations. Daffodil a émis une sorte de gargouillement et s'est empoigné les cheveux de chaque côté de la tête, ce qui lui a fait des sortes de couettes.

– Non ! Ah, non, hein ?

– Qu'est-ce qu'il y a, ma chérie ? a demandé Ann Drooler.

– Ogopogo...

– Ce n'est pas le moment, Daffodil, enfin ! Tu n'as plus cinq ans ! Il est tard et tu vois bien que ton père et Flower sont en plein...

J'ai vu les doigts de mon amie se crisper sur les couettes improvisées. Elle était si forte quand elle était énervée qu'elle aurait été capable, j'en suis sûr, de se scalper les tempes. Je lui ai donné un petit coup de pied dans le mollet. Elle a sursauté. Quand j'ai croisé son regard, elle avait une expression perdue.

Se détendant soudain, accordant un répit provisoire à ses malheureux cheveux, Daffodil a écarté les bras, pour manifester son impuissance exaspérée. Nous sommes retournés à nos observations. Ogopogo allait-il se montrer encore ? Mais déjà, insidieux, le doute s'insinuait sous mon crâne. Si j'avais mal vu ? Si ce n'était, par exemple, qu'un groupe de poissons carnassiers en chasse ? Certains d'entre eux, comme les black-bass, partaient en vadrouille à la tombée du jour, et ils étaient connus pour leurs sauts.

Maman disait qu'il existait, N'ha-a-itk, le Méchant du Lac, Ogopogo, le grand serpent. Daffodil y croyait comme un dévot à la Très Sainte Vierge. Et je venais de le voir. Qu'est-ce qu'il me fallait de plus ? Une part de moi, entêtée et sceptique, se moquait de tout cela. J'ai cru y reconnaître une part du cynisme d'Edward, qui par osmose se serait insinué en moi. Si la fille aux yeux mauves me devinait, elle ne me le pardonnerait pas. Après cette soirée fantastique, elle y verrait une trahison.

Le moteur a brouté, puis il est parti en crescendo suraigu.

– Lâchez la manette ! a crié maman à Jasper Drooler. Lâchez cette saloperie de manette !

Le champion universitaire a dû s'emmêler les pinceaux, parce que le bateau a fait un véritable bond qui nous a propulsés cul par-dessus tête, avant que le moteur ne se taise, dans un râle. Il y a eu un silence, assez long, avant que ma mère déclare :

– Que personne, j'ai bien dit personne, ne touche à rien. Je m'en occupe.

À neuf heures du soir, ma mère était encore le nez dans les pistons, quand le loueur est arrivé, à la barre d'une embarcation puissante. Après s'être amarré à nous, il a sauté à bord.

– Eh bien, eh bien, les marins du dimanche ? J'en connais qui vont payer double location !

C'était un petit homme rond, au visage rubicond et hilare.

Il a regardé les mains et les avant-bras de maman, couverts de cambouis, mais c'est à Jasper qu'il s'est adressé :

– Mon petit monsieur, faudra pas vous étonner de coucher sur le lac si vous laissez les femmes faire un travail d'homme...

– Redites-moi ça, pour rire ? a grogné ma mère.

Nous nous sommes séparés aux voitures, après que le loueur nous avait remorqués jusqu'au rivage et fait payer à Jasper Drooler une somme qui avait fait sortir les yeux de la tête du malheureux banquier de la Canadian Trust.

Il était une heure du matin. D'ordinaire, j'étais au lit à dix heures, et j'avais dû faire à ma mère la promesse de ne toucher à aucun écran une fois entre les draps. Je pouvais lire une demi-heure – un vrai livre en papier –, et puis dormir.

Ce qui faisait de moi une espèce de poule.

J'avais risqué, par un soir de grande témérité :

– Je croyais que je ne devais avoir aucun maître ? Je sais quand j'ai besoin de dormir !

Maman avait produit son intimidante grimace d'iguane.

– Excuse-moi.

– Ah... ah bon ? Donc je peux veiller ? Hein, je peux...

– Tu ne m'as pas laissée finir. Excuse-moi de ne pas avoir été assez claire. N'aie aucun maître, cela s'entendait : aucun, sauf ta mère.

– Très drôle.

– J'ai l'air de plaisanter ?

Avec ces funestes habitudes, une heure du matin pour moi, c'était le milieu de la nuit. Je ne tenais plus debout. Daffodil affichait, elle, une forme olympique. Elle m'a tiré à l'écart pendant que nos parents se disaient au revoir.

– Tu te rends compte? Lachlan, il faut absolument, ab-so-lu-ment, garder nos portables sur nous. On aurait pu le filmer! Tout le monde nous aurait crus!

– Je ne sais pas trop. Maintenant on est gavés de trucages sur le Net. À force de voir des *fakes* partout...

– Ça serait une preuve!

– Justement, non, je ne crois pas. Les gens se demanderaient juste comment on a monté le truc, c'est tout.

– Tu as raison. C'est dégueulasse. Heureusement que nous, on peut se dire qu'on l'a vu, Ogopogo! On est deux!

Ce n'était pas complètement une affirmation, de la part de Daffodil. Plutôt une question déguisée. C'est comme ça que j'ai su qu'elle aussi, malgré les apparences, doutait. Je n'ai pas eu le cœur de dire la vérité: que sur le moment même, et de plus en plus à mesure qu'avançait la soirée, j'avais éprouvé une incertitude, une irréductible incrédulité. Nous aurions vraiment, vraiment vu Ogopogo? La légende de Kelowna, de toute la région de l'Okanagan? Celui que tous poursuivaient, la légende? C'était trop beau pour être vrai.

– Oui, on est deux.

Dans la voiture, je m'endormais et me réveillais par intermittence, à la lueur des feux du tableau de bord et de la diode luminescente rouge vif de l'autoradio, qui me rappelait le monstre émergé au soleil couchant.

maman conduisait de cette façon décontractée qu'elle a, une main sur le volant, l'autre posée sur sa cuisse. Elle irradiait la confiance en elle, la force déterminée. J'aimais beaucoup être transporté la nuit par ma mère. Il n'y aurait pas d'accident, pas d'égarement. Flower Ikapo savait toujours où elle allait.

– Maman ?

– Mmm ?

– Je ne suis pas un menteur ?

– Non. Non, tu n'es pas un menteur.

– Tout à l'heure, avec Daffodil, on a vu Ogopogo. Pendant que tu essayais de réparer le moteur.

Ma mère n'a pas quitté la route des yeux. Elle a dit :

– Tu es fatigué, mon cœur. Bientôt tu vas pouvoir dormir.

Elle ne m'appelait presque jamais « mon cœur ». Et, chaque fois, c'était comme si je ne l'avais jamais encore entendu.

9

Quand j'ai aperçu les oreilles de renard de Farren près de l'entrée du collège, j'ai su qu'Edward et les deux autres Rémoras n'étaient pas loin. Tôt ce matin, j'étais abruti par la courte nuit. Il fallait pourtant se durcir pour cette interminable guerre. Daffodil et moi n'avions pas d'alliés. Les autres élèves étaient, au mieux, indifférents. Je ne sais pas s'il y a un âge où on se montre enfin humain, où on pardonne aux autres leurs dissemblances, mais si j'en juge par mon expérience, cet âge ne se situe pas aux alentours des quatorze ans. Les filles et les garçons autour de nous se cherchaient une personnalité, et c'était comme si, repoussant Daffodil, ils avaient voulu conforter l'idée de leur propre normalité.

– Je vous présente Daffodil Drooler, avait dit il y a quelques mois notre professeur, qui tenait par l'épaule une drôle de petite personne, frêle, dont les yeux mauves ressortaient comme des taches de gouache colorée sur une peau blanche, mais qui, surtout, arborait cette étrange chevelure clairsemée. Elle arrive en milieu d'année, je compte sur vous pour l'aider à rattraper certains retards.

– Dee-Dee. Baldy Dee-Dee !

Personne d'autre qu'Edward n'aurait osé lancer une phrase pareille : « Dee-Dee la Chauve ! »

Il ne la connaissait même pas. C'était une méchanceté produite spontanément, un ballon d'essai pour les batailles à venir. Le professeur avait entendu, comme toute la classe. Il avait hésité, et en fin de compte, il n'avait rien dit. Edward Sink était difficile à affronter, même pour les grands. Même pour nos enseignants. D'instinct, on le redoutait. De cette manière on se rend compte, petit à petit, que les adultes ne sont pas plus courageux que nous. On perd un peu confiance, on comprend qu'on va devoir compter, essentiellement, sur ses propres forces.

Daffodil devait être habituée à ça. Elle s'y était préparée, dans sa salle de bains, le matin, avant ce premier jour d'école. Juste un très mauvais moment à passer avant qu'on s'habitue et qu'on la laisse en paix. Elle ne pouvait pas savoir qu'elle tombait dans la classe d'Edward Sink et ses Rémoras.

En ce jour d'arrivée chez nous, la fille aux yeux mauves s'était installée à un pupitre, juste devant moi. Elle sentait le savon. Sur son crâne, d'énormes plaques épilées formaient des clairières. Elle se tenait très droite, son cou fin sortant comme une tige de lis du col de sa chemise blanche aux plis militaires. De temps en temps, sa tête remuait, spasmodiquement. C'était un mouvement brusque, compulsif, qui avait quelque chose d'animal, du rythme heurté des oiseaux perchés. Sa présence était très forte. Je sentais l'énergie qui irradiait de son corps, même quand j'avais les yeux fixés sur ma copie, pour écrire.

J'avais entendu quelques autres « Baldy, Dee-Dee Baldy » lancés à travers les rangs de la salle, mais je n'avais pas réussi à savoir d'où ça provenait exactement. Edward, lui, ne disait plus rien. Il avait son air de chat repu, celui qu'il affichait lorsqu'il avait inoculé sa peste, et qu'il laissait l'épidémie se propager. J'ai eu honte. Pour lui, et pour moi, qui naviguais encore, à l'époque, dans son sillage.

Si Daffodil n'avait été qu'une victime larmoyante, je ne pense pas que cela se serait envenimé.

Edward cherchait sans cesse de nouvelles proies, il avait besoin de nouveauté, dans sa quête d'humiliation et d'écrasement. Comme la fille aux yeux mauves ne lui avait rien fait, il se serait contenté de quelques semaines de harcèlement distrait avant de passer à quelqu'un d'autre. Mais Daffodil n'avait pas une âme de souffre-douleur. Au matin du troisième jour après son arrivée, Edward et nous étions passés près d'elle dans le couloir, et Owyn avait lancé de sa petite voix aiguë, contrastant tellement avec son corps épais :

– Baldy Baby !

Daffodil n'avait pas rougi, elle n'avait pas baissé la tête. Elle avait happé au passage la manche d'Owyn pour l'obliger à s'arrêter, puis se plantant devant lui, elle avait répondu :

– Baldy, je m'en fous. Mais, pitié, ne m'appelle pas « Baby ». Il n'y a pas une fille dans toute cette école qui voudrait qu'un type comme toi l'appelle « Baby ». Fais-toi du bien : je sais que tu as cassé les miroirs dans ta grotte, mais rachètes-en un, regarde-toi et fais un régime.

Ensuite, elle était partie à grands pas, la tête droite, ses cheveux rescapés flottant comme une crinière mitée. Owyn avait couiné de frustration, mais Edward avait murmuré :

– Ah oui ?

Pour ceux qui le connaissaient bien, c'était une promesse d'apocalypse.

Puisque les surnoms ne produisaient pas leur œuvre destructrice, le bourreau des sauterelles était passé à des attaques beaucoup plus directes. Contrairement, je crois, à beaucoup de nos camarades, qui voyaient seulement le résultat de la trichotillomanie de Daffodil et ne réfléchissaient pas à ce qui en était à l'origine, Edward avait immédiatement compris que cet arrachage de cheveux était l'expression de grands troubles. Ainsi, avec cette sagacité du mal qui lui appartenait, il avait frappé à la source. Il avait troqué « Baldy Dee-Dee » contre « l'anormale ». La première fois qu'il l'avait appelée comme ça, dans la queue de la cantine, j'avais vu les genoux de Daffodil fléchir : les jambes du boxeur qui vient de recevoir un uppercut.

– Qu'est-ce qu'elle mange, l'anormale ? avait-il lancé à la cantonade.

Daffodil s'était signalée, depuis son arrivée chez nous, par une gaieté constante, une bonne humeur presque exaltée qui sonnait chez elle comme un dogme. Elle aurait pu crier : « Je n'ai pas le droit d'être triste, et je ne le serai pas ! » Pourtant, elle était seule. Chaque fois qu'elle s'efforçait de participer à la conversation d'un groupe, elle était rejetée. Les autres filles étaient presque aussi dures qu'Edward. J'avais entendu Mae, une chipie du Nord Kelowna, dire bien haut à ses copines :

– La barge fait des économies de shampooing !

« L'anormale », c'était un coup de trop. S'efforçant de reprendre sa contenance, Daffodil Drooler avait raidi l'échine, mais un sanglot lui avait échappé et, lentement, sa nuque avait ployé. Le lis se fanait. Edward avait souri. N'était-il pas toujours vainqueur ?

– Espèce de sale connard.

Voilà. J'avais vomi les mots qui me venaient au bord des lèvres, depuis des jours. Depuis des mois et des années, en réalité.

– Laisse-la tranquille, Edward, sale connard !

J'avais épaulé mon sac, quitté les Rémoras et leur leader sans regarder par-dessus mon épaule. Puis je m'étais planté devant Daffodil, et j'avais dit :

– Il faut qu'on parle.

Aux premières heures, Daffodil Drooler s'était montrée méfiante. Si on pense à ce qu'on venait de lui faire subir, c'était le moins. Mais sa merveilleuse nature avait pris le dessus, et, deux jours après ma grande décision, nous ne nous quittions plus. Je lui étais reconnaissant de m'avoir, même involontairement, aidé à briser mes chaînes. Désormais il n'y avait plus de retour possible – avec Edward, la question ne se posait pas –, je devais aller de l'avant. Je me promettais que plus jamais un être sur Terre ne m'imposerait ses maléfices.

« Mais tu as toujours été libre, Lachlan », chuchotait au fond de moi une voix ténue que je me refusais à entendre.

Le fantomatique Rayford, Farren et Owyn n'avaient pas su, au début, comment s'adapter à ces nouvelles données. Mais Edward avait donné le ton. De temps à autre, je le surprenais à nous montrer du doigt, Daffodil et moi. Puisque sa figure était calme et sérieuse, comme à l'accoutumée, un étranger n'aurait rien pu dire de terrible sur ce simple geste. Mais c'était celui du maître chasseur qui désigne, à la meute, le gibier.

. 10

Il faisait déjà très chaud, avant l'heure d'entrée en classe. Daffodil m'a rejoint, essoufflée, alors que j'apercevais Owyn et Rayford qui se joignaient à Farren. Edward n'était pas encore là. Il refusait d'attendre et se réservait des entrées de diva ; il promenait alors sur la foule son regard gris, qui disait : « Je suis le gardien du troupeau, mais un gardien qui mange ses brebis s'il en a envie. »

– Ogopogo ! a dit Daffodil en guise de salut.

Ses yeux mauves étincelaient dans le matin.

– Je peux pas y croire ! Pas dormi de la nuit !

Elle avait dessiné un habile trait de crayon de maquillage à l'endroit où un de ses sourcils manquait. C'était étrange, mais pas laid. Partagé entre le souvenir de la vision de la veille, à la lueur rouge sang du crépuscule, et ce qui pouvait se tramer dans l'immédiat, j'avais les idées embrouillées. Edward devait couver des envies de revanche. Parce que maman l'avait obligé à fuir, il n'avait pas eu le temps de sévir. Je le connaissais si bien que je pouvais éprouver son insatisfaction.

J'ai essayé de voir ce qui se préparait, là où les

Rémoras s'étaient regroupés. La figure de Rayford, qui ne pouvait pas bronzer, produisait comme une tache blanche au milieu des visages bruns des élèves. Rayford ne payait pas de mine, mais c'était le plus dangereux des suiveurs d'Edward, justement parce qu'il n'avait aucun caractère. Il faisait sans réfléchir tout ce qu'on lui demandait. Il l'avait déjà prouvé. Les fanatiques politiques et religieux doivent être constitués de cette fibre malsaine. Edward lui avait ordonné de tenir, serré dans son poing, un pétard allumé. Nous savions tous le danger que cela représentait, mais il avait obéi sans paraître hésiter une seconde. Le pétard avait arraché à Rayford une partie de la peau des doigts et de la paume. Encore s'en était-il sorti parce que l'explosif n'était pas puissant. Si ç'avait été un de ces énormes rouleaux rouges aux allures de dynamite, il aurait eu la main arrachée. Le plus incroyable – le plus troublant – était que si Edward l'avait exigé, Rayford aurait, dans ce cas, agi exactement de la même manière. Il était orphelin, et vivait avec un oncle célibataire féru de chasse au cerf rouge qui buvait des *shots* de vodka comme autant de verres d'eau. Je ne savais pas grand-chose de plus sur ce fantôme et c'était bien extravagant, après avoir passé autant de temps avec lui sur les bancs de l'école, dans les terrains vagues, ou au bord de l'Okanagan, à pirater les lignes de pêche.

J'avais lu des histoires de zombies haïtiens, ces morts déterrés qui obéissent comme des robots de chair pourrie à leur terrible maître, et j'avais pensé à Rayford, téléguidé par Edward. Il m'effrayait.

Owyn était moins dangereux. Une âme de gringalet habitait son énorme enveloppe. Lui aussi avait besoin d'un chef, mais il n'était extrémiste en rien. C'était un garçon sans passion, qui ne s'intéressait ni aux choses ni aux gens. Il suivait mollement, Edward lui procurant, par contagion, un semblant d'allant. Dans notre groupe, il avait toujours été l'excipient, celui qu'on garde parce qu'il fait du volume.

Farren, lui, ouvrait sur la vie des yeux hagards. Il se défonçait à la colle à maquettes aussi souvent qu'il trouvait un tube – et c'était plutôt fréquent. Edward avait essayé de lui faire perdre cette habitude, pas par compassion, mais parce que cela le rendait imprévisible et désobéissant. Peine perdue. Farren était une ancienne victime d'Edward, qui, quand nous étions petits, avait beaucoup raillé ses curieuses oreilles poilues. Et puis, sans qu'on sache trop pourquoi, il s'était retrouvé dans la bande, où il avait un rôle dilettante. C'était, des Rémoras, celui dont je me sentais le plus proche, même si j'aurais préféré plonger dans une fosse aux serpents plutôt que de sniffer les tubes qu'il me tendait avec un air engageant. Je ne pouvais que constater, jour après jour, l'état dans lequel sa pratique le mettait. Parfois il perdait la mémoire, même pour des événements très simples et récents, et comme un grand vieillard, il secouait la tête en bredouillant « ça va me revenir, ah, c'est con... attends, ça va me revenir... ». Ou bien il se mettait en colère, mais oubliait presque aussitôt pour quelle raison, et demeurait suspendu au milieu d'une tirade furieuse, pour retomber dans une morosité effarée. Moi aussi, j'avais tenté de l'aider à se sevrer. J'y avais mis du cœur et une énergie considérable pendant deux ou trois ans – car il avait commencé à sniffer à dix ans – mais j'avais échoué, évidemment. Je n'étais moi-même qu'un enfant, c'était une tâche d'adulte. Sans doute, même, de professionnel de la lutte contre les addictions.

La loyauté, peut-être pervertie mais réelle, m'avait interdit de le dénoncer.

Farren n'était jamais tout à fait là, il flottait dans l'univers de sa drogue. Il avait décroché pour de bon, ne travaillait plus du tout. Il attendait d'être mis à la porte. Les punitions pleuvaient sur lui avec la fréquence et l'intensité d'averses irlandaises, mais ça lui était égal. Pourquoi est-ce qu'il restait avec Edward et les Rémoras ? « Pourquoi pas ? » aurait-il répondu, si on lui avait posé la question.

Et moi ? Pourquoi, moi, étais-je resté si longtemps ? Cela revenait sans cesse me hanter, quand je tardais à m'endormir aux heures précoces dictées par maman : je n'avais perdu tous mes copains – pas seulement Edward et les Rémoras – qu'à l'instant où j'avais choisi le camp de Daffodil. Pourtant, au cours des années précédentes, j'avais accompli avec ma bande un certain nombre de sales coups qui auraient dû me faire haïr.

Aux yeux de l'école et de ceux de mon âge, il était donc plus grave de parler avec une fille étrange que d'abîmer la vie des autres. Cela disait assez le calvaire de Daffodil Drooler depuis qu'elle était petite.

– Edward veut te parler, m'a dit Rayford, ignorant Daffodil qui s'était tendue à son approche.

La sonnerie d'entrée en cours allait bientôt retentir. Le fantôme avait l'air essoré, il était livide.

– Il n'a qu'à venir lui-même, Edward. La dernière

fois que je l'ai vu, il n'avait pas les pieds coulés dans le béton.

– Lachlan...

– Quoi ? Dis-lui d'aller se faire foutre, aussi.

J'aurais aimé que tout se résolve une bonne fois, même par une bagarre sanglante, même si je me faisais casser les dents. Je voulais juste être tranquille, en tête-à-tête avec la fille aux yeux mauves. Je ne m'attendais pas du tout à ce que Daffodil ajoute :

– Ouais ! Nous, on a vu Ogopogo !

La sueur a jailli de tous les pores de ma peau. J'aurais pu coller ma main contre la bouche de Daffodil, mais le mal était fait.

À l'observer, on aurait pu espérer que Rayford n'avait rien entendu, ou qu'il n'avait pas prêté attention à ce qui venait de se dire. Mais ce n'était pas Farren que nous avions en face de nous. Le fantôme, lui, fonctionnait comme un ordinateur, il classait les informations dans sa cervelle et n'oubliait rien. Pour enfoncer le clou, Daffodil a poursuivi :

– Tu peux lui dire ! Tu peux lui répéter ça ! Nous, on a vu Ogopogo, pendant que vous étiez en train de... de crever des pneus, de tirer sur les moineaux, ou de voler des culottes sur les cordes à linge !

Rayford m'a examiné, histoire de voir si j'accréditais les dires de la fille aux yeux mauves. J'avais honte de Daffodil, et, en même temps, j'avais honte de cette honte.

– Hein que c'est vrai ? Je n'invente pas, hein, Lachlan ?

La veille encore, elle doutait. Mais sa certitude lui était revenue, et Daffodil la manifestait devant un des Rémoras, un de ceux qui étaient si avides de nos faiblesses.

J'ai fait un pas de côté, pour m'écarter. Prenant ainsi, physiquement et moralement, mes distances. Ce n'était pas théâtral, mais infime. Pourtant cela n'a échappé ni à Rayford ni à la fille aux yeux mauves.

Je ne sais pas ce qu'Edward pouvait bien avoir eu à me dire, mais ce n'était plus d'actualité. Il s'adaptait vite, et quand le fantôme lui avait rapporté notre conversation, il avait certainement opté pour un autre plan. Ç'aurait été si bête de ne pas profiter de ce que Daffodil baissait son bouclier pour offrir sa poitrine aux lances.

À cause de moi, la fille aux yeux mauves avait été désarçonnée. Quand la sonnerie d'entrée en cours a retenti, ses traits étaient figés en un masque sinistre, si inhabituel chez elle, les coins de sa bouche tirant vers le bas comme si elle était, en un instant, devenue une vieille femme. Elle ne parlait plus. Un groupe de filles l'a bousculée au passage. Elle n'a pas réagi.

Depuis le jour de son arrivée tardive dans notre classe, Daffodil n'avait pas changé de place. C'est dire si, à force d'être assis un mètre derrière elle, je connaissais sa nuque. J'aurais été capable d'en dessiner le moindre duvet, la plus légère inflexion des muscles le long des fines vertèbres cervicales, qui saillaient comme des petites pierres blanches. Je devinais, à la trajectoire de la tête de Daffodil sur ce fin pivot, ses humeurs du matin, nerveuses, contrariées ou, pour un temps, apaisées. Ses épaules, aussi, tenaient de véhéments discours, haussées brutalement, roulées en arrière à l'instar de celles des nageurs qui s'échauffent, agitées de spasmes rapides. Même quand Daffodil se taisait, même de dos, son corps continuait à discourir.

Mais ce matin-là, tout s'est tu. J'aurais pu avoir sous les yeux une statue de marbre. La fille aux yeux mauves a suivi le cours de géographie sans bouger. À mesure que passaient les minutes, l'inquiétude a fait place à la peur. Qu'est-ce qu'elle avait ? Qu'est-ce qu'elle faisait ? Qu'est-ce qu'elle pensait ? Je ne le savais que trop. Mais, drapé dans ma vertu toute neuve, je ne voulais pas admettre que j'avais trahi. Alors je me suis fâché. Je n'avais pas besoin de Daffodil. J'en retrouverais, des copains, moi, si je voulais. Je n'allais pas me laisser ridiculiser par... par une...

Ogopogo ! Il était là, à nouveau, là dans ma tête, avec son long corps rougi par le crépuscule.

Il se mouvait lentement à la surface du lac, avec des ondulations fluides qui évoquaient une reptation dans de l'huile. La nausée m'est revenue. Avec elle, les battements désordonnés de mon cœur, et une subite sécheresse de la bouche. La rancœur s'est évanouie. Bien sûr que j'avais vu Ogopogo. J'ai tourné la tête vers Edward. De l'autre bout de la classe, il m'observait. Ses yeux gris ne disaient rien d'autre que la calme volonté de nuire. J'aurais pu le plaindre s'il n'avait pas été aussi mauvais.

Dans la cour, Daffodil s'est isolée. Je l'ai vue s'arracher une énorme poignée de cheveux, sur le dessus du crâne. Tant de force, tant de désespoir. Elle n'avait personne d'autre que moi, au collège. Je voulais m'approcher, mais elle me faisait comprendre, par sa seule façon de se tenir, qu'elle ne voulait pas du traître. Je me suis assis à l'ombre. Le soleil était méchant. Est-ce qu'il y aurait, cet été, de grands incendies ? Serions-nous évacués, comme en 2009 ? J'étais petit, alors, et l'impassibilité de maman m'avait évité l'effroi. Pour moi, ç'avait été une sorte de jeu, mené par des adultes dont certains étaient frénétiques, d'autres curieusement apathiques à la manière des somnambules. Edward, je me le rappelle, guettait les moindres manifestations d'émotion autour de lui. Il se faisait les dents, apprenait de la nature humaine.

Tout à coup, Daffodil a déboulé dans mon champ de vision. Elle avait parcouru très vite la distance qui nous séparait.

– Pourquoi ta mère t'a laissé te trimballer des années avec ces crevards ?

J'ai senti le sang m'affluer aux pommettes, et battre au coin de mes yeux comme si on m'y donnait de petites chiquenaudes.

– Parce qu'elle me faisait confiance.

– Ah, oui ? Elle aussi ?

. 11

C'est au réfectoire que ça a explosé. Je n'ai pas été surpris. Je n'avais tout de même pas fréquenté Edward pendant tant d'années pour ignorer ses calculs. Il y avait foule à déjeuner, et juste deux surveillants dans l'immense salle. L'endroit idéal. L'émissaire, cette fois, était Farren. Il a pointé ses oreilles de renard dans la file d'attente où Daffodil, à quelques mètres de moi – notre échange n'avait été qu'une brève parenthèse, elle ne voulait plus me parler –, entassait couverts et assiettes sur son plateau. Farren arborait sa tête farouche et égarée des jours mauvais, ceux où il n'avait pas de colle sous la main.

– Ogopogo ?

Ce simple mot, glissé presque en aparté, a fait se redresser la fille aux yeux mauves.

– Oui !

– Ogopogo ?

– Oui, oui !

Daffodil parlait trop haut, alors que Farren lançait le nom du grand serpent comme on jette, avec nonchalance, une pierre dans de l'eau.

– Qu'est-ce qu'elle dit ? s'est exclamé Edward, loin derrière nous dans la queue. Qu'est-ce qu'elle raconte, l'anormale ?

– C'est à propos d'Ogopogo, a répondu Farren, en se grattant une oreille.

– Non ! Et qu'est-ce qu'elle a à nous sortir là-dessus, l'anormale ?

Farren a écarté les bras, perplexe ; son allure ahurie, parce qu'elle était involontaire, renforçait l'effet de la scène. Autour de nous, on s'était tu. Le délicieux frisson des embrouilles annoncées tenait les spectateurs aux aguets.

– Elle dit qu'elle l'a vu.

Owyn a pouffé. Il avait un rire de fille, qui détonnait dans ce gros et grand corps.

– L'anormale dit qu'elle a vu Ogopogo ?

Edward criait presque, mais il ne jouait pas les histrions. Il savait qu'à cabotiner il gâcherait son rôle. Même s'il ne trompait personne, l'accent inquiet qu'il mettait dans ses questions réussissait à fragiliser un peu plus la position de Daffodil, dont le verre, les assiettes et les couverts ont commencé à s'entrechoquer sur le plateau de repas. La fille aux yeux mauves a posé le tout sur la rampe, elle a avalé la grande goulée d'air de celle qui va plonger.

– Parfaitement, j'ai vu Ogopogo ! Je l'ai vu hier, au soleil couchant !

Il y a eu un murmure, quelques faibles ricanements. On guettait la réaction d'Edward. Mon ancien ami, mon ancien frère, s'est recueilli un instant. Il a laissé infuser la réponse de Daffodil dans l'esprit de tous les témoins, puis il a lentement levé les bras en psalmodiant :

– La... folle ! La... folle ! La... folle !

Et, petit à petit, comme il l'avait espéré, comme il l'avait calculé, les filles et les garçons de l'école ont repris, autour de nous :

– La... folle ! La... folle !

Ça virait à la musique entraînante, l'hymne du groupe qui lynche.

Daffodil a encore dit quelque chose, mais ses paroles ont été étouffées par la clameur qui s'amplifiait. M. Knopfler et Mme De Lucia, les surveillants, ont essayé de faire taire les brailleurs. Peine perdue. La fille aux yeux mauves a agrippé ses cheveux. J'ai voulu la secourir. Pour ça, j'aurais dû hurler : « Moi aussi, je l'ai vu ! Fermez tous vos bouches ! Moi aussi, j'ai vu Ogopogo ! »

J'étais loin d'être assez courageux. Jouant des coudes, je me suis juste rapproché de Daffodil. Qu'est-ce que j'espérais exactement ? je ne le sais pas. Mais elle m'a donné un coup de poing en plein nez. Ma tête est partie en arrière. Avec la sensation que mon occiput partait à la rencontre de mes omoplates, je me suis senti tomber.

Je me suis réveillé couché sur le côté, à l'infirmerie. Ma joue était posée sur un rouleau de mousse dure. On me tenait la tête.

– Nom d'un chien, mais mettez ce pauvre garçon sur le dos, a dit M. Knopfler.

– Il faut le laisser en PLS. S'il vomissait, il s'étoufferait, a répondu l'infirmière, Mlle Snippny.

– PLS ? Qu'est-ce que ça... Oh ! Il ouvre les yeux ! Lachlan ? Tu m'entends ? Tu me vois ? Combien j'ai de doigts ?

– Cinq.

Je parlais comme Daffy Duck. À ce moment, j'ai compris que j'avais le nez cassé. Deux énormes choses blanches dépassaient de mes narines ; embrumé, je me suis demandé pourquoi on m'avait injecté de la mousse chantilly dans le nez, avant de soudain découvrir que c'était du coton.

– Comment va Daffodil ?

– Je ne comprends pas un mot de ce qu'il raconte. Et vous, Snippny ?

– Je n'en sais rien. Tu veux bien répéter, Lachlan ?

– Daffodil ? Où est-elle ?

– Ah ! L'hystérique ! Ne t'inquiète pas, elle ne risque pas de venir te chercher ici. Après un comportement pareil, ça m'étonnerait qu'on la revoie !

Lui aussi. Même M. Knopfler insultait la fille aux yeux mauves.

L'infirmière a grogné :

– Elle n'est pas bien, cette gosse. Elle n'a rien à faire avec des élèves normaux.

Maman est entrée en trombe dans l'infirmerie. Quand elle a vu ma tête – la fracture du nez avait répandu le sang dans mes sinus, et peu à peu dessiné des poches noires de raton laveur sous mes yeux –, elle a dit :

– Ouhg !

Pas de doute, elle était bien énervée. J'ai essayé de sourire, mais j'avais mal et j'étais inquiet. Au lieu de ça, j'ai sans doute produit une drôle de grimace parce que les prunelles de maman se sont dilatées d'inquiétude.

Mlle Snippny a mis les mains dans sa blouse pour s'assurer une prestance médicale.

– Ne craignez rien, madame Ikapo, ce n'est qu'une petite commotion et, euh… un nez cassé, rien de drama...

– Vous avez un centre d'imagerie médicale dans ce collège ?

– De... ? Non, non, mais...

– Vous êtes sans doute neurochirurgienne ?

– Non mais j'ai...

– J'emmène mon fils à l'hôpital pour faire des examens.

– Ce n'est pas la procédure, ce n'est pas... D'accord ! Bien entendu, madame Ikapo.

Ils ont voulu m'obliger à aller jusqu'à la voiture en fauteuil roulant, pour, disaient-ils, décharger la responsabilité de l'établissement. Mais le fauteuil grippé refusait de se déplier.

– Il ne doit pas marcher, cet élève ne doit pas faire un pas ici, répétait le directeur avec entêtement.

– Ouhg ! a dit maman.

J'ai été pris par surprise : elle a passé un bras autour de ma taille, de l'autre, elle m'a cueilli sous les genoux, et elle m'a soulevé.

– C'est moi qui le porte. Je ne vous conseille pas d'essayer de m'en dissuader.

– Maman !

– Accroche-toi et ferme-la. Tu parles comme un canard.

Les élèves étaient tous en classe, mais il y avait les fenêtres. Lorsque nous avons traversé la cour, j'ai pu, à mon absolu désespoir, découvrir ce petit monde qui n'en perdait pas une miette. À choisir, j'aurais encore préféré que ma mère adopte le porter pompier, en travers de ses épaules, au triple galop. Las ! c'est à un pas de sénateur que j'ai été trimballé, suspendu au cou de Flower Ikapo. J'avais quatorze ans, je venais de me faire défoncer le nez par une fille, et je quittais la scène dans la posture d'une mariée franchissant le pas du logis. Mon amour-propre grinçait plus fort que des gonds rouillés.

. 12

Je croyais que tout ce cirque n'était que précautions inutiles, mais maman avait été bien inspirée : à l'hôpital, on a découvert que j'avais une vertèbre déplacée. Daffodil Drooler cognait vraiment comme un poids lourd. On m'a soigné, cependant je suis reparti avec une minerve que j'allais devoir porter trois jours. Interdiction, également, de courir et sauter dans l'immédiat. Comme si j'avais eu envie, par cette chaleur écrasante, de faire des cabrioles avec un manchon en mousse autour du cou, sans parler du pansement qui m'écrasait le nez et m'empêchait de respirer.

En remontant dans la voiture après cinq heures passées entre les murs vert pâle, maman a massé son crâne du bout des doigts, en expirant très fort. On aurait dit qu'elle avait un nuage entier à recracher.

– Où est cette Daffodil ?

– Je ne sais pas. Ce n'est pas sa faute. C'est la mienne.

– Tu l'as assez défendue. Je ne vais pas laisser mon fils se faire agresser par une espèce de désaxée.

La fatigue, la douleur physique et l'affliction l'ont emporté. Je me suis mis à pleurer. Ma mère, qui s'apprêtait à manœuvrer pour sortir du parking, a coupé le moteur. Elle a posé sa paume sur ma cuisse.

– Tu ne peux pas accepter d'être frappé. Fille ou pas.

Elle a hésité, puis elle a ajouté :

– Amour ou pas.

Jamais elle n'avait abordé ce sujet. J'imaginais qu'elle l'avait en horreur, et que c'était à cause de mon père. J'étais si embarrassé.

– Tout ça, c'est à cause de moi. J'ai vu Ogopogo en même temps qu'elle, mais je ne l'ai pas dit parce que j'avais peur. J'ai trahi Daffodil.

Maman a retiré sa main.

– Cette morveuse t'a monté la tête. J'ai été stupide, j'aurais dû faire cesser ces âneries beaucoup plus tôt.

– Mais toi aussi, tu y crois ! Toi, tu dis que N'ha-a-itk existe ! Pourquoi est-ce qu'on ne l'aurait pas vu hier ? Tu ne m'as pas écouté quand nous sommes revenus du lac, pourtant, moi, je l'avais vu, le grand serpent, et tu aurais pu le voir, il aurait suffi que tu lèves les yeux de ce moteur ! Et M. Je-suis-le-roi-de-la-glisse et Mme Y-manque-un-bouton auraient pu être témoins ! Regarde-moi ! J'ai l'air d'un dingue ?

– Tu as l'air d'un accidenté de la route.

– C'est normal que Daffodil se soit énervée. Je ne suis qu'un sale hypocrite. Je n'ai pas eu...

– Non ! Non, non, non, mon petit gars. La prochaine fois, quand tu l'auras contrariée, elle sera dans son droit en te collant un coup de hache derrière l'oreille ? Et je devrais attendre ça avec une indulgence attendrie ?

Nous avons regardé la route en silence. Maman a freiné brutalement. La voiture est partie de travers dans un bref crissement de pneus qui m'a fait penser à un cri de lapin. Comme le pare-brise était sale et que le soleil se reflétait dessus, je n'avais rien vu, mais ma mère a dit :

– Un ourson coquau !

Je me demande pourquoi Maman appelait ainsi les porcs-épics. Elle avait eu une autre enfance que la mienne, et son vocabulaire différait de celui qu'on nous enseignait au collège. L'étrange bête se tenait au milieu de la chaussée. Cette espèce avance avec la lenteur d'une tortue, mais, celui-ci, effrayé par notre voiture, était tout à fait immobile et avait redressé ses piquants aux extrémités blanches. Il avait un corps massif qui atteignait un bon mètre de longueur. L'animal devait être un dominant, parce qu'il a claqué des dents pour nous défier.

– Il a dû tomber d'un arbre, a dit ma mère en regardant dans le rétroviseur pour voir si on n'allait pas nous rentrer dedans. Puis elle a manœuvré pour se garer sur le bas-côté.

– Aide-moi, Lachlan.

Je me suis rappelé que, lorsque j'étais tout petit, nous avions déjà fait cela. Sortant du coffre une vieille couverture, nous sommes allés ramasser le porc-épic.

– Mettons-le de l'autre côté de la route, c'est dans cette direction qu'il avançait, a dit maman.

Quand nous avons jeté le tissu sur lui, l'animal a poussé une série de cris geignards qui ressemblaient si bien aux gémissements d'un ourson que j'ai enfin compris pourquoi on le nommait de cette façon. Les piquants traversaient, par endroits, la couverture.

– Gaffe, Lachlan. C'est la plaie pour enlever ces

trucs-là, ça s'infecte une fois sur deux, et je n'ai pas l'intention de retourner à l'hosto avant un bon moment.

Le porc-épic s'agitait, et il était lourd. Chaque fois qu'il se tortillait, je sentais la douleur irradier dans mon cou, sous la minerve. Nous l'avons déposé au pied d'un grand arbre dont le tronc avait déjà été rongé, par cette bête ou par un de ses congénères. Maman a replié la couverture avant de taper ses mains l'une contre l'autre.

– S'il retourne sur la route pour chercher du sel, il finira par être écrasé, mais on n'y peut rien.

Les longs troncs des pins tordus projetaient leur ombre à l'orée du bois. Beaucoup de ces arbres étaient lentement tués par les dendroctones. On distinguait, à la surface de l'écorce, les tunnels de sève et les amas de sciure provoqués par les insectes. Le gros porc-épic s'est enfoncé dans les fourrés, claquant toujours des dents pour nous signifier son indignation.

Un chant d'oiseau a retenti, assez fort, très mélodieux.

– Un moqueur chat, a dit maman. On en entend très peu dans le coin.

Puis elle a ajouté, dans un souffle :

– C'est vrai, alors ? Vous avez réellement vu N'ha-a-itk ?

– Oui. Mais je n'ai rien dit aux autres pour défendre Daffodil. Que je sois maudit !

Maman m'a emmené avec elle à son atelier. Elle ne pouvait pas se permettre de perdre une journée de travail entière, mais il n'était pas question que je reste seul. Il régnait dans la pièce une chaleur moite, une forte odeur de transpiration. Fenella a à peine levé la tête de sa machine pour nous dire :

– Salut, les Indiens !

Elle avait sur les joues des plaques vermillon, et ses cheveux étaient collés en désordre sur son front par la sueur. J'ai pensé à une pomme qu'on aurait perruquée. Quand je me suis avancé dans l'atelier et qu'elle a vu ma tête, la grosse femme a posé le bout de tissu qu'elle avait replié pour le coudre.

– Merde alors ! Regardez-moi celui-là !

Elle s'est levée pour venir me regarder sous le nez. Jamais elle n'oubliait de faire rouler les « r » à l'écossaise. Les Mac Lochlainn avaient émigré au Canada trois cents ans plus tôt, et Fenella était beaucoup trop pauvre pour avoir jamais pu se rendre dans le pays de ses ancêtres, mais elle se comportait comme si elle avait grandi en faisant trempette dans les lochs et en gambadant dans les Highlands. Elle était aussi – et il y avait là quelque chose de bien plus remarquable pour moi – la seule personne de ma connaissance capable de tenir tête à maman sans se troubler. J'avais assisté à des luttes épiques entre la froideur ironique de ma mère et la faconde brutale de Fenella, combats où il n'y avait pas vraiment de vainqueur, parce qu'il n'y avait pas non plus de réelle volonté de vaincre. Fenella Mac Lochlainn représentait, pour maman, ce qui se rapprochait le plus d'une amie. Elle bénéficiait en tout cas d'une indulgence extravagante, car personne sur cette planète n'aurait pu nous accueillir par un « salut, les Indiens » sans en subir les conséquences. Et elle ne devait assurément pas cette mansuétude à son statut de contremaîtresse, ç'aurait été mal connaître Flower Ikapo.

– Laisse-moi deviner : tu t'es fait passer dessus par

toute l'équipe de hockey. Avec leurs patins et leurs crosses.

– Ah, ah. Très amusant, Fenella.

– Et tu parles comme un canard !

– C'est ça, discutons accent, Sean Connery.

– Hé ! les filles ! Vous entendez ? C'est Donald !

– Plutôt Daffy Duck, a dit maman.

Est-ce qu'il n'y avait pas de quoi être indigné, ainsi poignardé dans le dos par son propre sang ? Je suis allé me vautrer sur un des poufs que ces dames utilisaient pendant les pauses. Ma mère s'est aussitôt mise à son poste de travail.

– Ça va, le gosse ? m'a demandé Fenella.

Mais je boudais.

. 13

Pour rattraper ses heures, maman a décidé de rester un peu plus longtemps à l'atelier. Fenella lui a confié les clés. Sur la table centrale étaient entassées les décorations fabriquées dans la journée, toutes les breloques qui seraient distribuées à des gens méritants, avec force déclamations vibrantes. Les ouvrières éreintées et suantes, aux doigts meurtris, n'avaient que le droit de les confectionner. Je crois que ma mère n'épuisait jamais cette dérision. Cela lui mettait du cœur à l'ouvrage. Elle avait trop de courage pour être cynique et n'admettait aucune défaite, même petite.

Lorsque nous nous sommes retrouvés seuls dans l'atelier, elle a rattaché ses cheveux qui échappaient à l'élastique et faisaient écran devant son visage, puis, sans abandonner son travail, elle m'a demandé :

– Parle-moi du Méchant du Lac. Comment est-il ?

– Rouge comme le sang, maman. À cause du soleil couchant.

– Est-il grand ?

– Gigantesque. Et il bouge comme dans un rêve huileux.

– Un rêve huileux ? Oui… je vois ce que tu veux dire. Moi aussi, quand j'étais enfant, j'étais obsédée par le monstre. Ta petite cinglée m'a fait revenir à mon enfance. J'ai du mal, à nouveau, à appeler le grand serpent Ogopogo. Le nom N'ha-a-itk me revient sans cesse.

– Ce n'est pas une petite cinglée.

– Pourquoi, alors, est-ce que tu ne l'as pas défendue contre les autres ?

Maman ne m'a pas laissé le temps de répondre. Elle a enchaîné, comme pour elle-même :

– Tu as eu tort. (Elle a soulevé une lourde médaille pour l'observer à la lueur du jour déclinant.) Tu l'as laissée seule face à ces chiens. Moi aussi, je t'aurais donné un coup de poing.

Nous avons longé le lac pour rentrer. Le vent s'était levé, qui rafraîchissait l'air et formait des ridules à la surface d'un bleu ultraprofond.

Maman s'est garée près d'un grand verger. Nous avons marché vers la rive, ici un peu accidentée, caillouteuse. Le soleil déclinant devenait orangé. Bientôt il serait rouge, comme dans mon rêve qui n'était pas un rêve.

– Okanagan. Ça signifie « beaucoup d'eau », a dit ma mère.

Je n'ai rien répliqué, parce que je le savais déjà, et que j'étais surpris du tour que prenait la conversation. Je n'avais – pour le moins – pas été élevé dans le respect de la mémoire native, je n'entendais jamais parler de ces choses.

– Entre nous, nous nous appelons les Syilx. Ce sont les Blancs qui nous ont nommés « Okanagan ». Parfois ils donnaient aux peuples le nom de leur lieu d'habitation. Ce devait être plus pratique pour eux.

– Pourquoi est-ce que tu ne me dis jamais rien ?

– Sur quoi ?

– Sur nous. Sur la famille.

Ma mère a ramassé une pierre plate, qu'elle a lancée avec adresse. Un, deux, trois, quatre... j'ai compté onze ricochets. J'ai voulu concourir ; ma pierre à moi s'est cabrée en entrant en contact avec la surface, et elle a fait une pirouette avant de s'enfoncer dans l'eau.

– Ils m'ont laissée seule, Lachlan. Je n'étais pas beaucoup plus vieille que toi. J'ai cru que j'allais crever. J'avais une sacrée envie de quitter la région, pour ne pas risquer de croiser leurs sales gueules et d'entendre dans mon dos baver que j'étais une dépravée, que je serais une fille-mère indigne. Je me demande pourquoi je suis restée. C'est ce lac qui m'aimante.

– Il y a trop de colère en toi.

– Il y en a beaucoup. Pas trop.

J'ai cherché le regard de maman, mais elle s'obstinait à fixer les eaux du lac, en clignant des yeux à cause de la forte luminosité.

– Si je n'avais pas été en colère, ils auraient eu ta peau. Je n'aurais pas gardé mon bébé.

– Ah ? Ah bon ? Qui voulait ça ?

– Ma mère.

Nous nous sommes assis sur un rocher, nos pieds effleurant l'eau. J'ai dit :

– Une femme devrait décider de son ventre pour elle-même. Personne ne devrait avoir le droit de s'en mêler. C'est ce que je crois.

– Moi aussi. Mais la plupart des religions, et les

sociétés humaines, ne sont pas d'accord avec nous, mon garçon.

– Si les hommes pouvaient tomber enceints, ça ne se passerait pas comme ça.

– Tout à fait d'accord, mon cher Lachlan.

– Tu as été contente de m'avoir ?

– Pas contente. Heureuse.

Mon cou, engoncé dans la minerve, s'est un peu détendu.

– Qu'est-ce que je fais, pour Daffodil ?

– Il y a quelques heures, quand je t'ai vu dans cet état, je serais bien allée lui enfoncer la tête dans les épaules à coups de pelle.

– Et maintenant ?

– Je n'en ai aucune idée. C'est Edward qu'il faudrait rectifier. J'ai commis une très grave erreur en te laissant traîner avec ce garçon. Il est mauvais comme la gale. Mais Liam et Betsy sont si gentils...

Les parents d'Edward devaient être en train de ranger les étals de la poissonnerie. Betsy Sink avait des mains roses, épaisses, couturées par la glace.

Il arrivait que j'aie envie de tout révéler à maman, toutes les sales petites combines que j'avais partagées avec Edward et les Rémoras. Mais je n'avais pas assez de tripes.

– Pauvres Sink. Les chiens font des chats, a dit ma mère en fronçant le nez.

– Qu'est-ce que je dois faire, alors, pour Daffodil ?

– T'excuser.

Une fois rentré à la maison, j'ai énuméré mes moyens : SMS, mail, téléphone. Mais j'avais tant à perdre que j'en étais paralysé. Je ne savais même pas ce qui était arrivé à la fille aux yeux mauves. Est-ce qu'on l'avait renvoyée ? Était-il possible qu'elle ne puisse plus jamais venir au collège ? Ce serait une telle catastrophe. Bien inutilement, je me répétais sans cesse la scène du réfectoire, où je pouvais tenir, cette fois, un rôle honorable. Je marchais sur Edward, je lui lançais un crochet parfait qui le cueillait au maxillaire, l'horrible s'écroulait comme un pantin, et je criais à la foule : « Quelqu'un d'autre a un problème ? Hein ? » Tous baissaient la tête. Ils reconnaissaient ma force et ils comprenaient que Daffodil n'avait rien de si différent, qu'elle était comme nous, parce que ce n'était rien, en définitive, rien du tout, que quelques poignées de cheveux arrachées par nervosité.

C'était une mauvaise drogue, aussi néfaste pour mon cerveau que la colle de Farren pour le sien : je me défonçais à l'imaginaire, et après chacune de ces scènes fictives, je me sentais, retrouvant la laide réalité, un peu plus mal. J'ai ainsi perdu plusieurs heures. Je me tortillais dans mes draps trempés par la sueur. Depuis longtemps, maman était venue me dire bonne nuit. Elle avait forcément vu que je me débattais avec ma conscience, mais elle avait fait comme si de rien n'était. Si on s'en tenait à ses critères, elle avait déjà plus parlé en deux jours qu'au cours du mois précédent, et c'était beaucoup trop pour l'austère Flower Ikapo. Désormais, elle me laissait me débrouiller.

Il était presque minuit quand je me suis levé. Je suis allé dans la salle de bains pour boire un verre d'eau. Quand j'ai vu ma tête à la lueur du néon, j'ai fait un petit saut sur place. Je ne m'étais pas reconnu. Dans le miroir, j'avais cru apercevoir un animal bizarre, aux yeux cernés de noir, et au cou épais. Je me suis aspergé le visage, mais je devais pour cela, comme C-3PO, pencher le buste en avant, la nuque raide.

J'ai involontairement trempé la minerve, qui a fait éponge.

De retour dans ma chambre, je n'ai plus attendu. Si je ne le faisais pas tout de suite, jamais je ne trouverais la force d'écrire à Daffodil.

Excuse-moi. Je dirai à tout le monde que moi aussi, j'ai vu Ogopogo. Qu'est-ce qui se passe? Qu'est-ce qu'ils t'ont fait?

J'ai envoyé, sans relire. Tandis que j'attendais la réponse, je me suis remémoré Ogopogo, N'ha-a-itk le grand serpent, le Méchant du Lac. Il se mouvait si lentement. Insidieux, sournois, il était le mal qui séduit. Comme ils étaient tous loin du compte, avec leurs gentilles statues à Kelowna et leurs jouets gonflables! Il y avait là, nageant au cœur des eaux, un esprit mauvais incarné dans le monstre lacustre. Maman m'avait cru, j'en étais certain, mais elle n'en avait pas parlé à ses collègues de l'atelier. Peut-être voulait-elle éviter de se retrouver dans la position de Daffodil? Même si personne ne mettait jamais en doute la parole de ma mère. Et la fille aux yeux mauves, avait-elle au moins essayé de convaincre ses parents? J'aurais juré que non. Ann et Jasper Drooler se défiaient de leur enfant. Elle leur faisait honte, à eux si assoiffés de lois, de principes et de normalité. Leur réaction à ce qui s'était produit aujourd'hui devait avoir été affreuse.

À cinq heures, je me suis réveillé, la joue collée contre les touches. Si mon cœur battait la chamade, si j'avais mal au cœur de fatigue, je n'ai pourtant pas attendu une seconde pour regarder l'écran. Daffodil m'avait répondu.

Ne m'écris plus.

J'avais anticipé la fureur de la fille aux yeux mauves, ses insultes et son indignation, mais pas une telle réaction. Ç'a été comme si je m'enfonçais dans le matelas, comme si le lit, fleur carnivore géante, me gobait. Je n'avais plus d'air.

Le message avait été envoyé à deux heures dix du matin.

La chaleur n'était pas encore revenue, mais dans la chambre flottait une odeur qui évoquait un cendrier froid plein de mégots. Je me suis dit que c'était le parfum de ma peur et, dégoûté de moi-même, je me suis relevé pour aller ouvrir en grand la fenêtre. Bien sûr que Daffodil me méprisait. Je regardais avec dédain les Rémoras dont j'avais partagé les mauvais coups pendant des années, je me croyais meilleur qu'eux, mais quand j'étais mis à l'épreuve, mes belles résolutions s'évaporaient. Maintenant j'avais perdu pour de bon la fille aux yeux mauves.

J'ai eu mal partout, soudainement: mon cou me mettait à la torture, mes sinus me brûlaient, la pointe de mon nez pompait un sang bouillant, mes épaules paraissaient ne plus vouloir soutenir ma tête. Mes globules blancs se sont endormis, et mille infections se sont ruées pour mettre à sac ma chair et mes organes.

Il n'y avait plus qu'à mourir, puisque mon amour échevelé m'abandonnait.

Je me suis roulé en boule sur les draps. Je n'irais plus au collège. Je ne ferais plus rien du tout.

. 14

– Sors du lit, Lachlan. Ce matin, je t'accompagne en voiture.

– Non.

Maman n'a même pas pris la peine de répondre. Elle s'est campée bras croisés au-dessus de moi, et elle a attendu. Il faut croire qu'elle a des pouvoirs télépathiques, parce que je n'ai pas tenu longtemps. Je me suis mis debout avec la grâce féline de la créature de Frankenstein. J'entendais mes articulations craquer. J'étais vieux, j'étais fini.

– Fais attention à garder le jet de la douche sous la minerve, a dit ma mère. Tu te laveras les cheveux un autre jour.

– J'ai quatorze ans, je ne suis pas débile.

– Va dire ça à ceux qui ne te connaissent pas. À propos, je viens d'avoir Ann Drooler au téléphone.

– Elle a appelé ?

– Moi, je l'ai appelée. Ça n'a pas duré bien longtemps.

– Et alors ? Et alors ?

– Du calme. Rien d'inattendu, mon garçon. Les Drooler ne veulent plus nous voir. Daffodil a été renvoyée trois jours, en attendant le conseil de discipline. Le directeur laisse entendre qu'elle va être mise définitivement à la porte du collège. On ne peut pas tolérer une telle violence, paraît-il. Tu devras témoigner à ce conseil.

– Je ne pourrai pas.

– Tu as intérêt à pouvoir, si tu veux sauver ton amie.

– Ils ne m'écouteront pas. Ils s'en foutent, des élèves.

– Est-ce que j'ai pondu un fils qui a du sang de navet dans les veines ? Tu vas aller défendre la petite cinglée, ou je t'assure que tu te le reprocheras toute ta vie.

– Ce n'est pas une cinglée !

– Tu vois bien ! Tu leur diras ça.

– Elle est juste passionnée. Et nerveuse.

– Cette gosse cogne comme un bûcheron. Elle aurait pu t'estropier.

– Mais toi-même, tu m'as sorti qu'elle avait eu raison de me donner un coup de poing !

– Je n'ai pas dit ça. J'ai dit que moi aussi, je t'aurais frappé. Ça ne signifie pas que j'aurais bien fait.

– Tu m'embrouilles ! Qu'est-ce que... De toute façon, elle m'a dit qu'elle ne voulait plus de moi ! C'est foutu !

– Mon garçon, ce n'est pas pour toi que tu dois aller parler à ce conseil, mais pour elle. Ce ne sont pas tes intérêts sentimentaux qui sont en jeu, c'est la scolarité de Daffodil.

– Maman... je ne peux pas supporter de la perdre. Ça, je ne peux vraiment pas.

– Tu serais surpris de ce que tu peux encaisser. Nous avalons les chagrins les moins digestes. Je suis une véritable autruche pour ça, et après tout, tu es de mon sang.

– Je te promets que je ne pourrai pas vivre sans elle.

– Bien. Je te crois. Alors ne reste pas là à pleurnicher comme un veau malade. Bats-toi.

Je suis sorti de la maison cinq minutes avant maman. Depuis un an, j'avais le droit de manœuvrer la voiture devant le garage. De longs nuages effilochés zébraient le ciel, où je cherchais un présage pour mes projets de reconquête. Comme je levais la tête, je n'ai pas vu le grand panneau de tissu qui avait été étalé sur le gazon, et maintenu par des cailloux. Je l'ai senti quand j'ai marché dessus.

En grosses lettres vermillon tracées au pinceau brosse, était écrit : *Red-faced.*

J'en ai oublié mes tourments. *Red-faced.* Cela signifiait rouge de confusion, mais c'était aussi, évidemment, une allusion à mes origines. Je me suis soudain rappelé les croix enflammées du Klan, dans le documentaire sur la discrimination aux États-Unis qu'on nous avait passé au collège. Mes genoux se sont mis à trembler, alors je me suis donné une gifle. J'ai eu mal sous l'œil, et au cou, assez pour être désenvoûté. Vite, je me suis accroupi, j'ai ramassé le tissu, je l'ai roulé en boule, et je l'ai jeté derrière notre bosquet de sassafras. C'était ma petite fin du monde, tout se détraquait. Maman est sortie de la maison en coup de vent, elle a tiré sur la porte et l'a fermée en la claquant trop fort, comme à l'accoutumée. J'ai voulu ouvrir la bouche pour dire quelque chose, et je me suis rendu compte que j'avais les mâchoires si serrées que j'en avais mal aux maxillaires.

– On est en retard ! Ma parole, tu n'as pas fait le demi-tour ? Tu bayes aux corneilles ? Allez, Lachlan, allez !

J'avais huit ans quand, le 11 juin 2008, j'avais vu à la télévision notre Premier ministre, Stephen Harper. Il avait déclaré, avec une grande solennité :

– Le gouvernement du Canada est sincèrement désolé et demande pardon aux populations autochtones de ce pays pour avoir si profondément failli à leur égard. Nous sommes désolés.

– Ils sont deux fois désolés, avait dit maman, assise à côté de moi sur le canapé. Il faut bien ça, pour quatre siècles de pillage de territoire, de viols, de meurtres et de vols d'enfants.

Elle était sarcastique, mais j'avais pourtant senti, au fond de sa voix, l'émotion. Une demande de pardon ne demeure jamais complètement sans effet. Ce n'était pas une fin, bien sûr, mais c'était un début. Je l'avais cru sacré, ce 11 juin. Du haut de mon âge de raison, j'avais été convaincu que j'assistais à l'aube d'une égalité. Et si, depuis, on s'était parfois risqué à faire allusion à mes origines, je n'aurais pu affirmer que j'en avais souffert.

Cette bande de tissu aux lettres écarlates, c'était autre chose. Une intention barbare. Tandis que, rendu maladroit par l'émotion, je manœuvrais la voiture pour la mettre dans le sens de la route, j'ai décidé que je ne dirais rien à maman. J'imagine que je redoutais sa colère, même si elle n'était pas dirigée contre moi. Et – c'était plus effrayant, plus douloureux aussi – j'avais peur que ma mère souffre.

Le silence s'est fait dans les rangs des élèves, quand je suis descendu de voiture devant le collège. Lorsque je me suis penché à la portière pour dire au revoir à ma mère, elle a lâché le volant et elle a lentement replié ses longs doigts afin de composer un poing osseux.

« Bats-toi. »

Les mots s'étaient formés sur ses lèvres sans qu'elle parle à voix haute.

Elle a démarré très vite. Les pneus ont laissé sur l'asphalte déjà brûlant de légères traces noirâtres. Me retournant, j'ai fait face à la petite foule muette. La grosse tête d'Owyn dépassait du troupeau. Ses yeux minuscules me fixaient. On pouvait lire n'importe quoi dans ce regard-là. En d'autres circonstances, le mastard aurait pu être gentil. Il dépendait tout entier de celui qui avait l'ascendant sur lui, et si Edward – chose très improbable – avait été un moine bouddhiste, Owyn se serait retrouvé à méditer en robe orange, récitant sans trêve le mantra du précieux lotus.

– Il est bien lourd pour aller où va le vent, m'avait dit un jour Daffodil.

La fille aux yeux mauves n'était pas rancunière, elle ne détestait pas Owyn. Elle le trouvait importun, comme un gros bourdon qui, n'ayant pas de dard, vous embête tout de même par son vrombissement.

Mais je savais, moi, de quoi il était capable. Seulement, si j'avais raconté certaines vilaines affaires à Daffodil, j'aurais révélé du même coup que j'y avais ma place. En tant que complice. Ce qui comptait, me répétais-je, était ce que je faisais désormais. Je ne pouvais pas modifier le passé. Malgré tout, une part de moi me chuchotait que j'étais sali, que la page tachée d'encre ne redevient pas vierge. Alors, paradoxalement, je me trouvais à nouveau poussé vers Edward et les Rémoras. J'avais la nostalgie de mon inconscience cruelle, de l'époque où, chez les autres, j'ouvrais les plaies en toute quiétude. C'était si bon, je m'en souvenais, de n'avoir aucune morale, de se laisser porter par ses instincts et ses humeurs, de respirer à pleins poumons l'odeur d'ozone de la révolte et de l'agressivité.

Qui d'autre pourtant qu'Edward et les Rémoras pouvait avoir déposé la banderole devant ma maison ? Il n'y avait qu'eux, il n'y avait que mes anciens amis.

En dépit de ma quasi-certitude, j'avais envie de les retrouver. De revenir à ma place, celle du prédateur. Et j'étais écœuré par cette envie.

. 15

Devant moi, le siège de Daffodil était vide. C'était la première fois depuis que la fille aux yeux mauves était arrivée au collège. Sur le pupitre, un long cheveu rebiquait, coincé entre le tablier de bois et un des pieds métalliques. J'ai fait tomber un crayon, je me suis accroupi pour le ramasser, et aussi discrètement que je l'ai pu, j'ai arraché ce cheveu. Il était très fin, presque inconsistant. Moi, j'avais un crin indien, beaucoup plus épais.

Red-faced.

En apparence, Edward était accaparé par le cours. L'allure décontractée, presque avachie, il ne quittait pas le professeur des yeux. Il était capable de mener plusieurs tâches en même temps. Je ne devais pas oublier son intelligence, parce que c'était son arme la plus redoutable.

Pas une fois, au cours de toutes ces années partagées, Edward n'avait fait allusion à mes origines. M'avait-il méprisé, sans me le dire, durant si longtemps ? Betsy et Liam Sink n'étaient pas racistes ; de cela, j'étais convaincu.

La peau me démangeait, sous la minerve, qui avec la chaleur se transformait en carcan moite.

Je me grattais avec ma règle en métal souple. L'irritation physique s'est muée en exaspération, tout conspirait à me rendre enragé. Lors de la deuxième récréation, j'ai marché droit sur Edward qui tenait conciliabule avec les Rémoras pour un prochain coup vicieux.

– Qu'est-ce que c'est que cette banderole de merde? Je savais que tu étais un méchant con, mais au moins je ne te croyais pas facho.

Edward n'a pas immédiatement répliqué. Il m'a examiné. Ses pupilles grises reflétaient l'éclat du soleil. C'était à la fois glacé et élégant, comme la peinture métallisée d'une berline de luxe. Il n'y avait guère que ma mère, je crois, pour être capable de soutenir ce regard sans ciller.

Quand mon ancien ami m'a enfin concédé quelques mots, ç'a été avec l'accent d'un infini mépris.

– Ça y est, elle t'a rendu comme elle. Elle t'a détraqué.

J'ai failli frapper Edward. Mais je le connaissais depuis toujours, et, s'il pouvait mettre au défi qui que ce soit – même et peut-être surtout ses parents – de savoir exactement ce qui se passait en lui, il ne m'était pas tout à fait étranger. S'il avait posé la banderole, ou s'il l'avait demandé aux Rémoras, il n'aurait pas agi comme il était en train de le faire. Il aurait maintenu une ambiguïté, parce que c'était plus efficace en matière de torture.

– Ouais, il est devenu bête, a dit Owyn.

– Non, pas bête, a insisté Edward. Contaminé par l'anormale. Par sa petite Dee-Dee Baldy.

Rayford a ricané. J'ai remarqué les mains de Farren. Elles tremblaient tant qu'on aurait dit qu'il les secouait. La colle faisait son œuvre, le malaise peut-être aussi.

Owyn, Rayford ou Farren avaient-ils été saisis par le sain esprit de l'entreprise individuelle ? L'un d'entre eux pouvait-il avoir installé seul cette banderole ? Owyn n'y aurait pas pensé, Rayford était trop soumis aux *diktats* de son chef. Farren, lui, était trop droit.

– Qu'est-ce qu'il y avait d'écrit, sur cette banderole ? a encore demandé Edward.

– Rien. Je vous laisse à vos magouilles.

J'ai fait quelques pas, mais presque aussitôt je suis revenu vers le groupe.

– J'allais oublier : moi aussi, j'ai vu Ogopogo. Vous pouvez le répéter.

– Contaminé, a dit joyeusement Edward.

Rayford a ri de plus belle. Ça sonnait comme une cloche fêlée.

Sans Daffodil, je mourais, à chaque minute qui s'étirait, coulant comme de la poix. J'étais si fébrile que j'ai arraché le pansement de mon nez. Comme je ne pouvais plus le recoller, je l'ai jeté à la corbeille. N'ha-a-itk le grand serpent nageait dans les eaux rouges de mon souvenir, et lui aussi, comme le temps, allait trop lentement.

Daffodil.

À l'heure du déjeuner, je ne me suis pas rendu au réfectoire. J'ai attendu que M. Knopfler, de faction à la porte d'entrée du collège, aille fumer sa Marlboro avec le concierge, et je me suis échappé.

Le bitume collait à mes semelles. J'aurais voulu

courir, mais j'avais trop mal au cou, alors je me contentais d'avancer. Est-ce que j'étais laid, avec ma figure large, ma peau brune et mes cheveux épais, lourds, aile de corbeau ? Comment me regardaient-ils tous ? Pensaient-ils *red-faced* quand ils me croisaient ? Est-ce que mes yeux n'étaient pas un peu trop bridés ?

Et Daffodil, que voyait-elle en moi ? Et si je n'avais représenté que son dernier recours, si elle s'était accommodée de l'Indien parce qu'il était le seul à vouloir lui parler ?

Je me répétais que j'étais bête, que j'accordais à la banderole une importance qu'elle ne devait pas avoir, que ceux qui l'avaient installée devant notre maison auraient été au comble du ravissement s'ils avaient pu en constater les effets sur moi. Mais l'instant d'après, je recommençais à cogiter. Pour combien de camarades de classe et de collège avais-je été, sans m'en douter, le *red-faced* ?

Je n'avais pas de camp, aucun parti. Pour les Blancs j'étais indien, et pour les Okanagan je ne représentais rien, puisque maman m'en avait tenu absolument à l'écart. J'étais un des seuls élèves provenant des nations natives, au collège, parce que beaucoup d'entre eux étaient scolarisés dans la réserve. Jusqu'à maintenant je n'y avais jamais sérieusement réfléchi. Rien de tel que d'être insulté à cause de sa couleur de peau pour donner un sentiment d'appartenance. J'étais pourtant un Indien ignorant tout des affaires indiennes, et je ne pouvais même pas en vouloir à ma mère. À sa place, moi aussi, je me serais enfui. Seulement, je crois que je serais parti très loin. Quitte à m'éloigner de ceux qui m'avaient laissé tomber, j'aurais fait en sorte de les oublier pour de bon. Tous les jours, nous longions le territoire de la réserve. Et, quand nous rencontrions des Okanagan, j'avais reçu la consigne de regarder dans une autre direction. Pour la première fois de ma vie, j'ai saisi l'absurdité de la situation. J'ai entrevu également combien maman s'était prise à son propre piège. Dans son fol orgueil elle avait refusé de céder le terrain. C'était elle tout entière, dans son courage, et dans son entêtement.

Embarqué de force dans sa galère, je flottais entre deux mondes.

Je n'étais jamais allé chez les Drooler. Ils avaient beaucoup plus d'argent que nous – ce qui n'était pas extraordinaire – et habitaient une maison sur les hauteurs du lac. Je m'attendais bien entendu à de la propreté, à quelque chose d'entretenu – le père de Daffodil avait tout de même lavé trois fois le pont du bateau de location pendant que nous nous trouvions à bord –, mais ce que j'ai découvert était bien au-delà de mon imagination. On aurait dit une maison Lego. Non seulement le gazon était tondu avec une régularité absurde, mais on ne trouvait pas dessus une branchette, une feuille morte, et sa couleur en était si absolument uniforme qu'on pensait immédiatement à de la peinture. Le pommier qui s'élevait au centre exact de ce terrain avait des airs de dessin d'enfant : la frondaison formait une boule parfaite, au vert candide.

La maison n'était pas grande, et tellement artificielle dans sa perfection que c'était plus que du neuf, plus qu'un jouet à peine retiré de l'emballage.

« L'anormale. »

Comment, en effet, pouvait-on sortir indemne de cet endroit sans vie ?

J'ai tourné autour de la bâtisse. Le terrain devait mesurer un peu moins d'un hectare. Il était clôturé par une basse haie aux apparences de plastique. La porte du garage attenant était fermée, je ne pouvais donc pas savoir s'il y avait un véhicule à l'intérieur. Daffodil était-elle seule chez elle ? Je ne voulais pas sonner au petit carillon vert pâle fixé sur le montant du portail, alors j'ai sauté la haie à l'arrière de la maison et je me suis avancé sur le singulier gazon.

J'ai contourné un barbecue qui semblait flambant neuf avec sa grille étincelante, un sac de charbon tiré à quatre épingles, et un assortiment de bûchettes triées par tailles dans un bac émaillé. La longue marche m'avait épuisé, et je dégoulinais, mes cheveux poissés par la sueur pesant sur mon front comme un bandeau mouillé. J'aurais volontiers fait demi-tour. Mon cœur acrobate accomplissait, sous mes côtes, des bonds spectaculaires. Mais j'avais épuisé ma provision de lâcheté. Le soleil ardent se reflétait dans la porte-fenêtre s'ouvrant au dos de la maison. Pour y voir, j'ai dû coller ma figure contre le verre. J'ai distingué une salle de séjour aux meubles pastel, et en arrière-plan, une cuisine américaine. Les chambres devaient se trouver à l'étage.

– Daffodil ! Daffodil ! Daffodil !

J'ai hurlé à m'en râper la gorge. Je voulais voir la fille aux yeux mauves.

Personne n'a répondu. Je me suis reculé, afin de prendre de la distance par rapport à la façade, et d'essayer de regarder ce qui se passait à l'étage. Et c'est comme ça que j'ai vu un rideau bouger, à la fenêtre de droite. C'était infime, les reflets lumineux gênaient la vision, mais j'étais certain que le tissu n'avait pu remuer de lui-même, derrière ces vitres closes. Il était improbable que ce soit Ann ou Jasper Drooler : ils m'auraient déjà dit de me taire. La seule idée d'un esclandre sur leur terrain, à portée de voix des maisons des voisins, devait leur donner de l'urticaire.

– Daffodil ! Daffodil ? C'est moi ! Lachlan Ikapo !

Comme si mon nom de famille allait servir de viatique. Comme s'il suffisait à me rendre honorable. Je m'assourdissais avec mes propres braillements, j'avais l'impression qu'avec ces cris idiots je complotais contre ma rédemption, mais je ne pouvais m'en empêcher. Deux mésanges sont passées dans mon dos, volant bas, lançant leurs « tit-tit » aigus. La nature elle-même me disait « la ferme, Lachlan, tu nous soûles ! ». Un chien aboyait de concert avec moi. Un âne aurait fait meilleure mesure.

Puis j'ai entendu le grincement ténu de la poignée de la fenêtre, qui s'est entrouverte. Une tête, à contre-jour, s'est montrée dans l'embrasure. Mais ce n'était pas celle de la fille aux yeux mauves.

Qui d'autre pouvait habiter dans cette maison ? Je n'en avais jamais entendu parler, j'avais été jusqu'alors persuadé qu'ils n'étaient que trois, mais les Drooler étaient si secrets, si farfelus dans leur rigidité, dans leurs hontes incompréhensibles. Un membre de leur famille se serait-il caché là pour ne pas s'exposer au monde ? Ce lieu n'était-il pas angoissant, propice à des images de films d'épouvante ? La tête qui s'encadrait dans la fenêtre était chauve, avec de petites oreilles pointues. La surprise inquiète m'a coupé le sifflet.

– Lachlan ! Est-ce que tu as très mal ?

C'était bien elle, pourtant. C'était la voix de Daffodil. Mes yeux me piquaient, tout à coup, et je n'avais plus de souffle, même pour un murmure.

– Attends ! Je descends t'ouvrir.

. 16

Elle aurait pu rester cachée. Ne même pas me répondre. Dans sa situation, la plupart des filles l'auraient fait. Mais l'émigrée d'Ottawa était d'une autre trempe. Elle s'est effacée pour me laisser entrer dans sa maison, et c'est une fois la porte refermée sur nous que j'ai constaté l'ampleur des dégâts : Daffodil s'était rasé la tête – au rasoir, il n'y avait même pas, sur son crâne, une ombre de cheveux –, et elle avait aussi fait disparaître ses sourcils.

Je me suis mis les paumes sur les yeux, et j'ai appuyé très fort.

– Tu n'as pas trop mal, Lachlan ? Je te demande de m'excuser, normalement, je ne tape pas les gens. Je suis trop forte, c'est dangereux.

C'était une phrase si incongrue que j'ai souri, et comme Daffodil souriait aussi, nous sommes restés face à face avec nos têtes éberluées.

– Si. J'ai mal. J'ai...

La fille aux yeux mauves n'écoutait plus. Elle a glissé ses mains en coupe au-dessus de ma nuque, comme on le fait pour soutenir la tête d'un nouveau-né, et elle m'a embrassé. J'étais ignorant de ces choses. Un Lachlan Ikapo étourdi fermait les yeux en s'abandonnant, tandis que l'autre Lachlan Ikapo analysait avec une curiosité avide la fermeté des lèvres parfumées à la cerise, la douceur des doigts posés sur son occiput. Ma parole, je ne pesais plus rien, je voltigeais.

Ogopogo est revenu. Il ondoyait avec nous, et nous aussi nous étions rouges, dans le rêve huileux. J'ai soulevé Daffodil. Elle ne pesait rien, si fluette avec ses os d'oiseau, et j'ai tourné sur place en la serrant contre ma poitrine.

– J'en avais marre de moi. J'ai tout coupé, comme ça, je n'ai plus rien à arracher.

– Daffodil... On dirait ces malades, dans les hôpitaux.

– Tu peux parler !

– Oui, ben, je ne me suis pas fait ça tout seul...

– C'est vrai ! Je suis tellement, tellement brutale et idiote.

Soudain, m'est revenue à l'esprit ma glorieuse traversée de la cour du collège, dans les bras de maman. J'ai ressenti de la colère à l'encontre de la fille aux yeux mauves, et j'allais le lui dire, lorsque, tout aussitôt, j'ai pensé à la scène de la cantine et à ma mère me disant, plus tard : « Moi aussi, je t'aurais donné un coup. »

– Merci de vouloir encore de moi, Daffodil. Maintenant je te défendrai.

– Est-ce que j'ai la tête de quelqu'un qui a besoin d'être défendu ?

J'aurais volontiers répondu oui, mais ce n'était sans doute pas de circonstance.

– Ils veulent que je témoigne au conseil de

discipline. Je leur dirai que je suis responsable. Ils te reprendront.

– Ça, ça m'étonnerait. Mme De Lucia et M. Knopfler étaient là, ils ont vu et entendu. Non seulement ils croient que je suis givrée parce que j'ai parlé d'Ogopogo, mais en plus ils ont dit qu'ils étaient effarés par ma violence. Mme De Lucia a sorti que j'étais une brute incontrôlable.

– Complètement débile.

– Le directeur a expliqué à ma mère que je serais peut-être mieux dans un établissement spécialisé. Mon père a dit que je l'embarrassais.

– C'est dégueulasse.

– Tu crois ? Tu ne penses pas que je suis embarrassante ?

– Daffodil, jamais je ne penserai ce genre de truc.

« À partir de maintenant, me suis-je dit. À partir de maintenant, je n'aurai plus honte de mon amour, la fille aux yeux mauves. »

Quand Daffodil m'a servi du jus d'orange, j'ai remarqué les aliments classés par tailles, et les boîtes par couleurs, dans le réfrigérateur. Au creux des alvéoles du placard à épices – qui s'élevait à côté des brûleurs d'une cuisinière semblant n'avoir jamais servi –, les étiquettes de chaque produit étaient tapées à l'ordinateur, en polices différentes, en gras ou pas, suivant un code mystérieux. Nous nous sommes assis sur des tabourets de bar aux coussins luisants. Les fesses glissaient dessus, c'était irrépressible, il fallait s'agripper au rebord de la table pour ne pas s'étaler. J'ai imité la fille aux yeux mauves, qui crochetait les pieds de son siège avec ses orteils afin de se retenir. Elle m'a observé, en esquissant une moue désabusée.

– C'est mon père. Il a fait plastifier le cuir, pour qu'il ne s'use pas.

– Tiens ? Et il a aussi fait plastifier le reste du mobilier ?

C'était une tentative d'humour, mais Daffodil a répondu très sérieusement :

– Oui, tout ce qui est en cuir. Mon père dit qu'en fonction de ses calculs prédictifs, ça fera plus de quarante pour cent d'économies sur l'achat de meubles. Et puis ça fait propre.

Les vieux poufs défoncés de ma maison, voilà qui ne faisait pas propre du tout. Si on voulait tuer Jasper Drooler, il n'y avait pas de moyen plus sûr que de lui faire visiter par surprise l'antre des Ikapo.

– Il paraît que tes parents ne veulent plus nous voir.

– Ah ! Ils... oui. Non. On vous l'a répété ?

– Ta mère l'a dit à la mienne, au téléphone.

– Enfin, tu sais, c'est mon père, surtout. Ma mère, tu la connais... Elle aime beaucoup Flower, mais mon père... il croit que... il, il...

– C'est parce que nous sommes okanagan.

– Oui.

La banderole. Est-ce que Jasper Drooler était capable d'avoir posé, la nuit, seul, ce morceau de tissu infâme sur notre gazon ? Parce que sa femme n'aurait pas participé à une telle entreprise. J'ai hésité avant de parler, mais il n'y avait rien d'autre à faire que de mettre tout à plat, alors j'ai demandé à Daffodil :

– Est-ce que ton père utilise souvent l'expression *red-faced* ?

Puis, j'ai expliqué ce qui s'était produit. J'aurais été rassuré si Daffodil m'avait dit que le champion de ski nautique était incapable d'un tel acte. Mais à sa figure, avant même qu'elle me réponde, j'ai su qu'elle hésitait.

Elle a fait claquer ses paumes sur ses cuisses, ce qui l'a déséquilibrée, et le tissu de son pantalon a couiné sur le plastique du siège, tandis qu'elle partait sur le côté. Je l'ai rattrapée par la manche. Elle a dit :

– Putain de tabouret !

Comme elle disait très peu de gros mots, j'ai compris qu'elle se cherchait une contenance. Je partageais sa gêne.

– Mon père... Il n'est pas, on ne peut pas dire qu'il est vraiment raciste. Je ne sais pas comment t'expliquer. Il a peur de tout. La seule chose pour laquelle il retrouve un peu de cran, c'est aller poser ces horribles sabots sur les voitures saisies, avec son... son sale copain huissier. Parce que là, il se sent du côté de la loi. Je déteste ça. Pour le reste... Il dit qu'à la banque ils peuvent le virer du jour au lendemain, qu'il n'aura plus de travail, qu'il sera fini. Ma mère, qui connaît la Canadian Trust et le poste de mon père, lui répète tout le temps que c'est impossible, qu'il ne risque rien. Mais il a peur quand même. Il a peur des voisins. Il dit qu'ils nous espionnent, qu'ils nous jalousent et qu'ils font exprès de faire leurs feux de feuilles mortes le jour où le vent souffle dans notre direction. Selon lui, le facteur jette certaines de nos lettres parce qu'il n'aime pas les gens d'Ottawa. Mon père a peur du garagiste parce qu'il pourrait mal réparer nos voitures si nous protestions contre une facture trop grosse. Il a peur des ouvriers du câble parce que, selon lui, ce sont des gens qui repèrent les maisons aisées avant d'en donner l'adresse à des cambrioleurs. Il a peur de manger du gibier, parce qu'il pourrait y avoir du plomb dedans, et que le plomb, c'est du poison. Il a peur des canalisations d'eau qui ne seraient pas propres, alors il ne boit que de l'eau minérale en bouteille, mais là, il a peur du plastique de ces bouteilles.

– Ah oui, ah, quand même...

– Oui...

– Et ta mère ?

– Pendant ce temps, elle recoud nos boutons pour la troisième fois de la semaine, au cas où il y en aurait un qui aurait l'idée de chercher à s'évader. Mais j'aime ma mère. Je sais qu'elle est généreuse. Mon père a une mauvaise influence sur elle. La peur, c'est contagieux, et ça te détruit de l'intérieur. Moi, je la refuse. Je la vomis. Ça te coupe du monde. Ça t'isole des gens. Si je ne m'arrachais pas les cheveux comme une pauvre dingo, moi, j'aurais des amis. J'en voudrais.

– Je suis là, Daffodil.

– Oui, Lachlan. Je sais. Et pour répondre à ta question, je ne crois pas que mon père ait posé cette banderole chez vous. Il peut dire du mal des Indiens, comme il dit du mal de tout le monde, mais il est trop froussard pour passer à l'acte. Je suis sa fille, j'ai mal au cœur de parler de lui de cette façon, pourtant c'est la vérité.

– Qui d'autre peut avoir fait ça ?

– Edward et ses Edwardettes.

– Ce n'est pas eux.

– Tu en es sûr ?

– Quasi certain. Je les connais depuis toujours. Je

l'aurais senti, quand je suis allé les voir. Edward est plus transparent qu'il ne le croit.

– Qui, alors ?

– J'inspecterai cette banderole de plus près en rentrant. Je trouverai peut-être un indice. Dis, Daffodil, tu ne veux pas qu'on sorte ? On pourrait aller au lac...

– Je n'ai pas le droit. Ils ne me laissent pas... J'aurai des... Oh, et puis, ras le bol ! Attends, je vais chercher mon chapeau.

. 17

La fille aux yeux mauves portait un feutre mou bleu nuit, vestige de l'époque d'Ottawa, et, par la magie de ce seul accessoire, son apparence changeait. Elle semblait beaucoup plus âgée.

Mais elle était reprise par la fièvre d'Ogopogo.

– Il est là, sous l'eau, il nage ! Ho ! Tu nous entends ? Est-ce que tu écoutes ce que je dis, Méchant du Lac ?

– Daffodil... l'Okanagan fait trois cent cinquante kilomètres carrés.

– Moi, je crois qu'il m'entend.

Nous avions marché longtemps pour nous éloigner de Kelowna. Les rives que nous longions étaient curieusement désertes. Non loin de l'eau, s'étendaient d'immenses vergers. La chaleur était à son comble. J'ai mouillé mes cheveux et je les ai plaqués en arrière. Dans mon cou, les pointes dégoulinantes formaient une queue de canard, comme sur les photos des rockers gominés des années 1960.

– Et toi, qu'est-ce que tu en penses, des Indiens ? Des *red-faced* ?

Daffodil m'a coulé un regard en biais. Je ne pouvais pas voir ses yeux, qui étaient cachés par l'ombre du feutre. Elle n'a rien dit. J'ai attendu, jusqu'au malaise, mais rien ne venait.

– Hé! je te parle!

– Ça m'énerve que tu me poses la question. Tu crois que si je suis avec toi, c'est que personne d'autre ne veut de moi.

– Je ne sais pas.

– Comment ça, tu ne sais pas? Tu veux que je te fasse bouffer ta minerve?

– C'est vrai que tu es cinglée.

– Ouais, ouais...

– À la masse.

– C'est ça, c'est ça.

– Partie avec les fées. Truffée comme un cake.

– Arrête les flatteries, ça ne marche pas. Tu crois que quand je vous vois, ta mère et toi, je me dis: «Voilà les Indiens»?

Fenella Mac Lochlainn, avec ses «r» en sifflet de flic, était bien la seule Blanche à nous balancer des phrases de ce genre. Et comme maman lui répondait des abominations sur sa chère Écosse, ce n'était qu'un jeu éternellement recommencé, puisqu'on savait qu'il n'y avait là aucune malice. Certains prétendent que tout le monde peut se montrer raciste à un moment ou à un autre, que c'est la pente naturelle de l'homme. Je ne crois pas que ce soit vrai. Il y a des cervelles qui sont prédisposées à cette sorte de rage; d'autres, non.

La fille aux yeux mauves n'était pas du nombre des haineux.

– Non, Daffodil. Je ne crois pas que tu te dis ça.

– C'est mieux pour tes dents.

– Arrête de me menacer. J'ai l'impression de sortir avec un mafieux.

Après avoir marché trois heures, nous sommes arrivés en vue de Rattlesnake Island. La petite île me paraissait encore plus hostile depuis que Daffodil et moi avions vu le monstre. Les sacrifices de mes ancêtres okanagan n'avaient peut-être pas été vains. Qui sait si N'ha-a-itk le grand serpent n'avait pas épargné, pour cela, certains pêcheurs ? Maman aurait tant aimé voir le Méchant du Lac. J'ai pensé qu'elle le méritait, puis je me suis ravisé : le mérite n'avait rien à voir là-dedans. Ogopogo n'était pas une montagne à gravir, une course à remporter ou quelque chose à construire. C'était l'expression du destin aveugle.

Le grand incendie de 2003 avait détruit les rives du lac tout autour de l'île, mais épargné Rattlesnake Island. Dans les années 1970, on y avait construit pour les touristes un minigolf, on y avait élevé une statue de chameau et même une réplique de pyramide égyptienne. Tout était désormais enseveli par les herbes. Le repaire d'Ogopogo était indestructible, il se débarrassait des intrus.

Daffodil a glissé sa main droite dans une poche arrière de mon jean, et a appuyé sa tête sur mon épaule.

– Il s'est passé plein de trucs en deux jours, hein, Lachlan ? Tu crois que nous allons bien nous en sortir ?

– Évidemment.

– On pourrait plonger, pour voir ! Autour de l'île !

– Maintenant ?

– Oui ! Si on trouve la grotte d'Ogopogo...

– Il y en a un paquet qui s'y sont essayés, et avec des bouteilles. Il n'y a rien ici. Normalement.

– D'accord, mais nous, on a de la chance.

J'ai contemplé le crâne et les sourcils rasés de la fille aux yeux mauves qui s'éventait avec son chapeau, j'ai passé le doigt sur ma minerve, et sur mon nez endolori qui n'était plus protégé par le pansement. Daffodil m'a deviné, car elle ne m'a pas laissé répondre.

– Ça, ça ne compte pas ! Ce n'est pas de la malchance ! C'est moi qui ai tout provoqué, ce n'est pas la fatalité qui t'a cogné, et pas elle non plus qui m'a tondue ! Mais Ogopogo qui s'est montré à nous, ça, par contre... quelle bonne fortune ! Les étoiles sont avec nous !

Lorsqu'elle évoquait le grand serpent, elle rayonnait, et j'étais emporté par sa joie. Tout devenait possible, il n'y avait plus rien d'incongru. J'ai protesté pour la forme :

– On n'a même pas de maillots !

– On s'en fout ! On se baigne en zlip !

– En... zlip ?

– Ouais, en zlip ! Même pas peur !

– Et ma minerve ?

– Tu peux l'enlever, non ?

Il y avait une sorte de férocité dans l'obsession de Daffodil. Comme si le Méchant du Lac comptait plus que tout à ses yeux. Plus que ma santé. Mais je ne voulais plus déchoir.

La fille aux yeux mauves a tout de même gardé un T-shirt. J'ai lentement retiré la minerve et tourné la tête, d'un côté, de l'autre, puis je l'ai hochée à petits coups prudents.

– Oui, ça ira.

Je ne voulais même pas penser à ce que maman aurait fait si elle nous avait surpris. Il n'y avait toujours personne alentour. Une chape moite pesait sur les eaux immobiles qui reflétaient en miroir un soleil jaune vif.

Nous avons caché nos vêtements dans un buisson – Daffodil maugréait parce que nous ne pouvions pas emporter nos téléphones dans l'eau –, puis nous sommes allés nous accroupir dans le clapot imperceptible du rivage, pour, touche par touche, mouiller notre peau qui exhalait l'odeur de pierre à aiguiser des jours brûlants.

– Qu'est-ce qui a pris à ton père de nous inviter à faire du ski nautique ?

L'eau du lac sur mon corps m'avait ramené à ce souvenir. Daffodil a sursauté, son visage s'est tendu.

– Pourquoi ?

– Il n'aime pas les Indiens. On ne lui a pas mis un rasoir sous le cou en l'obligeant à louer ce bateau.

– On doit vraiment en parler ? Moi aussi, si tu veux tout savoir, Lachlan, je me suis demandé pourquoi. En rentrant j'ai parlé à ma mère, et elle m'a dit que c'était elle qui avait convaincu mon père de vous inviter. Au début, il ne voulait pas ; donc, pour le décider, elle lui a dit que nous passerions pour des pingres. Elle sait bien que mon père est obsédé par ce qu'on peut raconter sur lui.

– Ta mère parle très librement avec toi !

– Je suis sa seule confidente. Elle n'y arrive plus, tout ce cirque la rend malade. Elle se sent prisonnière d'une vie trop petite. Tu sais, c'était déjà grâce à elle que nous pouvions nous voir, toi et moi. Mon père était archicontre. Elle a dû inventer que ta mère était très considérée dans la région, et expliquer que ça nous ferait bien voir ici d'avoir les Ikapo dans notre poche. Mais maintenant, depuis la bagarre, mon père...

– Si j'étais à la place de ta mère, je m'en irais.

– Je le lui ai dit mille fois. Elle n'y peut rien, elle est comme bloquée.

– Et toi ?

– Moi aussi, je suis coincée. Où veux-tu que j'aille ? Et puis, quoi qu'il arrive, je reste avec ma mère. Je ne la laisserai jamais seule avec lui.

– Il faudra bien que tu partes, un jour ou l'autre.

– On verra. Je ne la laisserai pas.

– Têtue, hein ?

– Oui, mais c'est pour ça que tu m'ai...

La fille aux yeux mauves s'est interrompue, elle a rougi et tendu la main vers une mèche de cheveux qui n'était plus là.

– Exactement. C'est pour ça.

– Allez, y en a marre de bavasser. À la baille !

. 18

Tant qu'on restait à la surface, l'eau était chaude. Mais il suffisait de s'enfoncer de quelques brasses pour sentir, sur sa peau, la température chuter. Au collège, on nous avait appris que l'Okanagan était profond de deux cent trente-deux mètres à la hauteur de l'île de Grant, mais des spécialistes sérieux prétendaient que les études n'étaient pas complètes, que le lac creusait bien plus bas dans les entrailles de la vallée.

À chaque mouvement, les os de ma nuque produisaient un «crr-crrk» qui n'était pas rassurant, mais je me trouvais si galvanisé par la présence de Daffodil à côté de moi, dans les vagues, que la perspective de couler n'avait rien de dramatique. La fille aux yeux mauves a montré du doigt Rattlesnake Island avant de se mettre à nager dans sa direction. Ses battements de bras étaient désordonnés, pourtant elle y mettait assez d'énergie pour avancer vite. Elle brassait l'écume sans relâche. Je l'ai suivie en m'efforçant de garder la tête bien en ligne avec mes épaules.

Soudain, une masse sombre s'est dessinée sur ma gauche, dans l'eau, un peu en retrait de nous. J'ai eu un hoquet de surprise glacée. Cette fois, cette fois... Est-ce que je n'avais pas été prévenu ? Est-ce qu'il ne s'était pas montré à nous pour nous interdire ses eaux ? J'étais plus idiot que l'Idiot lui-même. Tant pis. J'ai viré dans l'eau aussi vite que je l'ai pu, afin de m'interposer entre Daffodil et le grand serpent. Un rai de soleil facétieux m'a révélé une souche flottante. Une de ces milliers de souches que j'avais aperçues depuis que, tout petit, je scrutais la surface du lac. J'ai eu besoin de quelques secondes pour recouvrer mes esprits. Depuis le rêve huileux, mes repères avaient volé en éclats, et avec eux, mon enfance. J'étais sorti d'un état pour entrer dans un autre que je ne connaissais pas. Ne s'était-il pas produit, concentrés en deux journées, plus d'événements qu'au cours des années précédentes ? Je me réveillais dans un monde inconnu dont je ne savais comment éviter les pièges. Je n'étais pas équipé pour tout cela. Mon corps était trop frêle, mon esprit trop candide : hier encore, me semblait-il, maman me lisait des histoires pendant que je buvais, au coucher, mon verre de lait chaud. Ma vie était chamboulée, mais je fonçais quand même, mes sentiments pour Daffodil glissant sous mon épiderme en une sorte de courant électrique. Je n'aurais pas été étonné de produire des étincelles, un court-circuit, dans les eaux de l'Okanagan. La fille aux yeux mauves pouvait bien se raser la tête et les sourcils, elle aurait pu s'arracher les dents, il en faudrait d'autres pour me déprendre.

– Lachlan ? Tu viens ? On y est presque !

– J'arrive !

Gauchement, j'ai allongé ma brasse.

Il y aurait dû y avoir du monde, en plein été et par cette canicule, sur Rattlesnake Island.

Et, alentour, nous aurions logiquement dû croiser des canoës, des petits bateaux gonflables, de plus grosses embarcations, même. C'était l'atmosphère à laquelle j'étais habitué durant la saison chaude. Mais la magie de l'obsession de Daffodil Drooler pour le monstre des eaux devait être très puissante, car nous étions seuls.

– N'ha-a-itk! Ogopogo! Méchant du Lac! Nous sommes là! a crié la fille aux yeux mauves en tournant sur elle-même, bras tendus en croix, sur la rive rocheuse de l'île.

De l'extrémité de ses doigts jaillissaient des fines gouttelettes qui s'évaporaient avant de toucher le sol, happées par l'air incandescent. Le soleil, sur ma nuque endolorie, pesait comme une main de géant.

– Qu'est-ce qu'on fait, maintenant, Daffodil?

Oh, je n'ai pas aimé ma voix. Ce qu'elle contenait. Je me suis trouvé servile, et la sauvagerie cynique de mes bordées avec Edward a resurgi, un court instant. Je regrettais le fauve en moi, j'étais trop apprivoisé. Mais qu'y avait-il à déplorer, réellement? Qu'avais-je été, au fait, sinon le petit chéri à sa maman qui joue aux durs quand elle a le dos tourné? Qui étais-je alors pour juger mes anciens complices? Daffodil Drooler m'avait domestiqué, est-ce que cela faisait de moi pour autant un garçon honorable?

– On cherche! a répondu la fille aux yeux mauves. Son T-shirt relevé montrait un petit nombril bombé, aussi rose que celui d'un baigneur en Celluloïd. La peau du mien était sombre, presque marron. J'aurais voulu le dissimuler, mais moi, j'étais torse nu.

Red-faced, red-faced, red-faced.

– Ho ! Lachlan ! Descends de la lune ! Allez, on s'y met ! On va trouver une, un... une écaille, ou un bidule comme ça. Je le sens.

« Ça fait quatorze ans que je cherche, et les copains avec moi. On n'a jamais rien trouvé. »

Pourtant je me suis rappelé le rêve huileux, et sa lumière rouge. Il fallait que je m'y fasse : le Méchant du Lac existait, je l'avais vu.

La banderole, Edward et ses suiveurs, mon passé suintant, Jasper Drooler et sa femme prisonnière, Daffodil l'imprévisible, Ogopogo le grand serpent, le collège avec ses règles et ses pièges, maman, à la fois si présente et tellement distante, tout cela menait une vilaine ronde qui ne se laissait pas contenir.

Les gens sont arrivés d'un coup, ensemble, comme répondant à un appel. Un couple de touristes, d'abord, qu'on a entendu venir de loin. Il criaillait en allemand – ou peut-être en hollandais. Un homme et une femme, assez âgés pour être mes arrière-grands-parents. J'ai cru comprendre qu'ils se disputaient à cause de la façon dont ils pagayaient, et il y avait de quoi, parce qu'ils tournaient effectivement en rond, l'homme ne comprenant pas comment il devait accorder son mouvement à celui de la femme. Leur petit bateau gonflable pirouettait sur l'eau verte. Les sons portent loin sur le lac. Même la respiration de l'homme était audible. Il soufflait comme une locomotive. La femme, elle, laissait échapper des petits gémissements plaintifs et comiques, et des mots brefs dans sa langue gutturale. Ce n'était pas une querelle méchante, il y avait une sorte de joie dans l'altercation, une complicité de très longue date, quelque chose de charmant et de suranné. Ceux-là se fréquentaient depuis un siècle, au moins. Moi, je n'avais pas de vieilles personnes dans mon entourage. Celles que je rencontrais m'étaient exotiques et étranges, à la fois friables comme de vieux biscuits et, pour certaines d'entre elles, étonnamment vivaces. Si je devais atteindre cet âge, me suis-je dit, autant le faire en compagnie de Daffodil Drooler, qui ferait une petite vieille pleine de malice. Tournant la tête dans sa direction, j'ai remarqué qu'elle était contrariée. Elle aurait voulu continuer tranquille sa chasse au monstre.

Lorsqu'ils nous ont aperçus, les deux vieux se sont tus. Ils ont levé leurs pagaies, confus d'avoir été surpris en pleine chamaillerie. Ils étaient plus enfants que moi.

Trois kayakistes, rapides et efficaces, surgissant du rivage nord de l'île, les ont laissés sur place. L'un d'entre eux – je l'ai reconnu à sa tenue particulière, depuis des années il portait un casque jaune fluo unique en son genre dans la vallée – était mon oncle. Un des frères de maman. Il venait droit sur moi. Chaque fois que ce genre de situation se présentait, je me pétrifiais. Les consignes ne comportaient aucune ambiguïté : je ne devais jamais, en aucune occasion, adresser la parole à un membre de ma famille. Le plus absurde était évidemment qu'en restant à Kelowna, ma mère m'avait exposé à de fréquentes rencontres. Elle avait ainsi été obligée de me désigner de loin ceux que je devais éviter, et je n'avais appris à les distinguer de la foule que pour pouvoir mieux les fuir. Cette folie était rendue possible par le fait que notre parentèle retournait son entêtement à Flower Ikapo. La famille aussi m'ignorait, tout en sachant très bien qui j'étais. De ces sourdes rancœurs, impossible de faire table rase. Plus le temps passait, plus la situation s'enkystait. Si je m'étais aventuré en direction de l'ennemi, si j'avais tendu une main, je crois que je n'aurais pas été pardonné. J'avais souvent trahi la confiance de ma mère en magouillant salement avec Edward et les autres, j'avais commis des actions qu'elle aurait désapprouvées et dont j'étais heureux qu'elle ne les connaisse pas. Mais au moins en ce domaine précis avais-je été loyal : la nécessité d'un front commun face à ceux qui l'avaient abandonnée, c'était une des seules limites de maman en ce qui me concernait, je crois, mais elle était réelle et palpable. Pour ne pas lui en vouloir, pour me résigner à être privé d'une famille qui s'offrait en constant supplice de Tantale, j'imaginais ma mère, si jeune, allongée dans la forêt, morte d'effroi, en train de me mettre au monde, seule parce qu'on n'avait pas respecté sa volonté. Alors j'embrassais sa cause et je ne voyais plus, en les Ikapo, que des adversaires.

Mon oncle ne m'a reconnu que lorsqu'il s'est trouvé à quelques mètres du rivage. D'une cuiller fluide de sa double pagaie, il a infléchi sa course, et le kayak s'est mis de travers. J'étais d'autant plus gêné que je me tenais là en slip, sur la berge. Sans vêtement pour habiller ma dignité vacillante. Et j'étais en train de sécher le collège. À côté d'une fille à peine plus vêtue que moi.

Sur les épaules de mon oncle, qui dépassaient du gilet de sauvetage orange délavé par l'eau et le soleil, les stries musculaires saillaient comme des fibres de bois. Le casque me dissimulait une partie de son visage, mais il avait la même bouche que la mienne, jusque dans un léger tic qui retroussait la commissure droite de ses lèvres, et que j'avais surpris si souvent dans le miroir sans pouvoir le réprimer. Cet homme se reconnaissait-il également en moi, percevait-il nos ressemblances ? Les deux autres kayaks continuaient leur course rapide le long de Rattlesnake Island. Tels des lames, ils fendaient l'eau lisse et soyeuse. Mon oncle ne se décidait pas à rompre. Il restait en face de moi, à quelques mètres, sa double pagaie suspendue à bout de bras, en balancier de funambule.

– Lachlan ? a demandé Daffodil, d'une voix impatiente.

Le charme s'est rompu. Le frère de ma mère a cogné son casque de son poing fermé, ainsi qu'on le voit faire par les *linebakers* avant un dur affrontement. C'était un geste exagérément viril, presque violent, et le manque d'un père m'est venu à la gorge comme une soif subite.

Je me suis entendu grogner, pas très fort, mais grogner tout de même, et la fille aux yeux mauves, qui m'avait entendu, a répété :

– Lachlan ?

Sans effort, mon oncle a fait reculer son embarcation, mais il ne regardait pas derrière lui, et il a manqué éperonner le canot gonflable. Les vieux ont poussé des gloussements de poule d'eau. Ils se voyaient déjà couler en chantant *Plus près de toi*...

Le temps de cligner deux fois des paupières, le kayakiste avait disparu, à la poursuite de ses compagnons.

Daffodil m'a touché la cheville, de la pointe des orteils.

– C'était qui ?

J'ai failli mentir par commodité. Mais la tête rasée de Daffodil, son visage si singulier sans sourcils, m'ont forcé à répondre :

– La famille.

– Mais oui ! Je le savais bien ! Vous vous ressemblez ! Pourquoi est-ce que vous ne vous êtes pas parlé ? C'est une coutume ?

– Une... coutume ? Mais, bordel, pourquoi, quand on est Indien, on ne peut pas se gratter une fesse sans que les Blancs croient que c'est un geste sacré ? Pourquoi ? Non, je ne mange pas de pemmican au petit déjeuner ! Je n'ai pas une coiffe de plumes, un calumet de la paix et un tomahawk planqués dans mon placard ! Je ne danse ni avec les loups ni avec les phacochères, et mon vrai nom, ce n'est pas Né-dans-les-bois-une-nuit-de-pleine-lune !

– Désolée...

– Et ma mère ne racle pas non plus des peaux de bison.

– Tu es beau quand tu es en colère. Ouh là, la tête ! Bon. D'accord. Oui. J'ai compris.

– Non, parce que hein, quand même, hein !

– Mais tu pourrais peut-être prendre des bains de vapeur sacrée pour chasser les mauvais esprits, je te trouve un peu tendu.

– Et moi, je pourrais me mettre à avoir envie de parler de meubles plastifiés. Typiquement blancs.

– Ho, le coup bas ! Le sale coup en traître !

– Tu fais ce que tu veux, Daffodil, mais je ne reste pas en slip devant tout ce monde ! Regarde-moi ça !

Les bateaux surgissaient de partout. On entendait,

au sud de l'île, pour l'instant encore hors de vue, des enfants qui avaient abordé Rattlesnake Island. Ils criaient comme des perdus :

– Ogopogo ! Ogopogo ! Ago ! Aga ! Agapo ! Pogaga !

Daffodil a grommelé :

– S'ils croient que le Méchant du Lac va se montrer avec ces clowneries ! Il a le sens de la dignité...

. 19

En nageant, j'ai failli me faire heurter par l'étrave d'un petit voilier. Heureusement pour moi, le vent était si faible qu'il avançait très lentement. J'ai eu le temps de m'écarter. La coque de fibre de verre a râpé mon épaule. Je demeurais en d'étranges dispositions, où alternativement, même occupé par ma brasse malhabile, je maudissais la fille aux yeux mauves et ses initiatives, puis j'avais envie de me précipiter sur son corps blanc pour le couvrir de baisers. C'était épuisant, surtout quand on gardait la tête hors de l'eau à la manière d'un ancêtre remoulu. J'ai touché la côte plus mort que vif. Si je renfilais un pantalon et un T-shirt, je serais déjà plus à mon aise. La pierre, près du rivage, était brûlante sous la plante de mes pieds amollis par l'eau tiède de l'Okanagan.

– Les vêtements ne sont plus là, a dit Daffodil. Oh, non ! Ils ont aussi pris ton sac de classe et les portables !

J'ai rejoint la fille aux yeux mauves, arrivée bien avant moi, car elle avait nagé plus vite.

– « Ils » ? Qui ça, « ils » ? Tu t'es trompée de buisson ! Attends voir... Je crois que c'était plutôt par là...

Pourtant non, je le savais, j'en étais certain, que c'était à cet endroit que nous avions laissé nos affaires.

– Tiens, regarde, Lachlan. Ils ont jeté ta minerve près de cette souche. Au moins tu peux la remettre.

« Ils »... Avec l'affaire de la banderole, ça commençait à devenir inquiétant. Je me sentais poursuivi.

– C'est plein de monde dans le coin, maintenant. Ça peut être n'importe quel touriste, a dit la fille aux yeux mauves.

– Oui. On a eu une idée de génie de laisser nos affaires derrière nous. Tant qu'on y était, on aurait dû les distribuer.

– Tout à l'heure, il n'y avait personne.

– La notion de futur, c'est ce qui sépare l'homme de la bête. En tout cas, c'est ce que dit ma mère.

Daffodil a tendu la main vers son crâne rasé, puis vers ses sourcils absents. Ses doigts se sont crispés d'impatience parce qu'elle ne pouvait plus sacrifier à sa manie.

– Si tu veux, Lachlan. Je suis une nulle parce que je n'ai pas pensé qu'on pourrait nous prendre nos trucs.

– Moi aussi, alors. Laisse tomber. Je suis autant responsable. Ma mère va juste m'enterrer vivant, ou me donner à manger aux ours, pour mes affaires de classe.

– Et mes parents, à ton avis ? Si je rentre en slip et T-shirt, ils vont m'envoyer en pension à Iqaluit.

– C'est où, ça ?

– Loin...

L'eau du lac avait ravivé la douleur de ma blessure nasale, qui se contractait rythmiquement, petit cœur autonome. Daffodil et moi nous sommes assis à l'ombre d'un arbuste. En slip, dans Kelowna ? Ça, c'était tout à fait inenvisageable. Un cauchemar devenu réalité.

Nous ne pouvions même pas appeler pour demander de l'aide, et de toute façon, je me voyais mal téléphoner à maman pour nous sortir de ce pétrin. À imaginer sa réaction, j'aurais encore préféré me jeter dans la gueule de N'ha-a-itk en criant : *Happy hour !*

– Mais qui nous a volé nos trucs ?

La fille aux yeux mauves a haussé les épaules.

– Pas des écureuils, en tout cas. Ils ont les doigts trop petits pour mon Nokia.

Je l'ai fixée. Elle a haussé les sourcils qu'elle n'avait plus, et ça lui a fait une drôle de tête, un peu extraterrestre. J'ai eu envie de l'embrasser, mais je n'ai pas osé. Nos corps étaient trop découverts.

– Je n'aime pas ça, Lachlan.

– Moi non plus, mais est-ce qu'on a le choix ?

– On pourrait juste aller voir si on peut utiliser leur téléphone. Je suis sûre qu'ils accepteront.

– Super, Stephen Hawking. Tu viens de me dire que tu avais peur de ce que ton petit papa et ta petite maman feraient s'ils te voyaient rentrer en slip et T-shirt. Mais quand tu les auras appelés, qu'ils sauront que non seulement tu as quitté ta maison malgré l'interdiction formelle d'en sortir, mais qu'en plus tu te balades à moitié à poil avec un sale Indien qu'ils t'ont dit de ne plus fréquenter parce qu'il te vaudra l'exclusion du collège, ce ne sera pas seulement la pension à Machintrucuit ! Ils viendront t'étriper avec un couteau à pain ! Ou alors, autre idée brillante, on pourrait joindre ma mère, qui se fera une joie de fabriquer un collier avec mes dents. Et un bracelet avec les tiennes.

– Il y a des chances.

– Je dirais que c'est comme de jouer à la roulette russe avec une mitrailleuse.

– Tu as raison. Pas de téléphone. Mais moi, voler, ce n'est pas du tout...

– On ne vole pas, nous. On emprunte.

– Pourquoi est-ce qu'on n'irait pas leur demander, à ces gens ? Ils doivent avoir des vieux vêtements à nous donner.

– Frapper chez des inconnus, en slip ? Si tu peux tant mieux pour toi, mais moi, plutôt mourir.

– Quand tu étais avec Edward et les autres, tu faisais ça tout le temps ? Voler ?

– Ne me pose pas ces questions-là. Je ne veux pas en parler. Et pour aujourd'hui, si je dis on emprunte, c'est qu'on emprunte. On rapportera dès qu'on pourra. Je laisserai un dollar pour la peine. Avec un mot d'excuse.

– Alors comme ça, ça va.

– J'y vais.

– Non, je viens avec toi.

– Il vaudrait mieux que je me fasse choper seul si ça loupe, tu ne crois pas ?

– Pas question.

La fille aux yeux mauves m'a pris la main, elle l'a brièvement serrée, puis nous nous sommes mis à courir en direction de la corde à linge qui s'étirait devant la petite maison isolée.

Ce n'était certainement pas mon jour de chance. Si Daffodil avait hérité d'une longue chemise qui tombait comme une robe sur elle et lui allait tellement bien qu'on l'aurait crue achetée exprès, j'avais décroché de la corde une gigantesque combinaison de garagiste verte, taillée pour un colosse dont le ventre avait déformé le tissu. Je ressemblais à un bernard-l'ermite dans une conque géante. C'était une toile synthétique qui conservait la chaleur, et produisait l'effet d'une petite serre personnelle, un horrible sauna crissant. La minerve me gênait plus que jamais, pourtant je ne pouvais pas l'enlever, j'avais trop mal au cou.

Chancelant à chaque pas, je méditais sur les délicieuses conséquences de l'amour : ridiculisé, estropié, et maintenant cuit dans mon jus. Les moines ermites ne connaissaient pas leur bonheur.

Daffodil avait noué son T-shirt sur sa tête pour protéger son crâne du soleil, mais nous trébuchions, à fouler de nos pieds nus le sol ardent ; des cloques s'étaient déjà formées sous nos orteils. Fuyant l'asphalte poisseux, nous cherchions l'herbe et la terre poudreuse.

– Ogopogo... a chuchoté la fille aux yeux mauves. Je ne sais si elle se parlait à elle-même.

Je n'ai pas eu la force de le lui demander.

. 20

Nous sommes arrivés à l'endroit où nos chemins divergeaient. À l'embranchement – un carrefour qui s'élevait en périphérie de Kelowna –, la fournaise était telle qu'on ne rencontrait pas une voiture, pas un passant. Je n'avais jamais vu la ville comme ça, on l'aurait crue désertée à cause d'une alerte atomique ou chimique. C'était stupide, bien sûr, mais sur le moment j'y ai vu l'influence pernicieuse du grand serpent, le Méchant du Lac, qui se serait étendue jusqu'aux terres. Depuis que, dans mon rêve huileux qui n'était pas un rêve, j'avais vu N'ha-a-itk, les catastrophes s'enchaînaient si vite que j'en étais étourdi. Pourtant, d'une certaine manière, le monstre m'avait également gagné la fille aux yeux mauves.

– Ça valait le coup.

– Qu'est-ce que tu as dit, Lachlan ? Je n'ai pas compris.

J'étais si exténué que j'avais pensé à haute voix.

– Rien. Une formule magique indienne pour nous protéger des punitions familiales.

– J'avais cru entendre : « Ça valait le coup ».

C'était le moment de trouver une réplique mordante

et ironique, pour recouvrer un peu de prestige malgré la minerve, les yeux au beurre noir, la combinaison grotesque et les pieds couverts de crasse. Il y avait certainement quelque chose de très cool à sortir. Mes neurones, rencognés dans les profondeurs de mon crâne surchauffé, ont refusé de se mettre au travail.

Alors j'ai redit :

– Oui. Ça valait le coup.

Daffodil Drooler a regardé autour de nous, tournant la tête de gauche à droite avec la précision mécanique d'une tourelle de char. Puis elle a fait un grand pas pour se retrouver collée contre moi. Elle a glissé ses mains par l'encolure de la combinaison et a posé ses doigts, brindilles sèches, sur mes épaules, contre la minerve. J'ai voulu protester parce que je me sentais poisseux, dégoûtant et faible, mais je n'en ai pas eu le temps. La fille aux yeux mauves a posé ses lèvres gercées sur les miennes. Cet enchantement a dû débloquer quelque mécanisme : mes barrières sont enfin tombées, je me suis abandonné, et là, au milieu de ce carrefour où la poussière brûlait comme de la soude, j'ai su ce qu'était un vrai baiser. Les mains de Daffodil, sur ma peau, ne tremblaient pas. Elles s'enfonçaient dans le muscle, elles me tenaient. J'étais éperdu.

– Il faut que tu retournes chez toi.

– Toi aussi, Lachlan.

– Tes parents… Tes vêtements, ton téléphone…

– Mes vêtements, j'aurai le temps d'en changer. Il faudra que je planque cette chemise. Pour le téléphone, je ne sais pas. Je dirai qu'on me l'a volé ? Ce n'est pas un mensonge.

– On t'aurait volé ton portable pendant que tu étais chez toi ? Ils vont avaler ça ?

– Mon père est toujours prêt à croire ce genre d'histoire, si c'est négatif. Lachlan, je ne veux pas qu'on me change de collège. Je ne veux pas être loin de toi ! Et je veux qu'on voie encore Ogopogo !

J'aurais voulu promettre que j'allais tout arranger, mais ma mère m'avait assez répété qu'il ne fallait pas s'engager dans des serments qu'on ne pouvait pas tenir.

– Pour Ogopogo, ça ne dépend pas de moi. Mais pour le reste, Daffodil, je te jure que je vais tout faire.

– Nous ne serons pas séparés ?

– Jamais.

Comme ce soir-là je devais rentrer seul à la maison, je pensais avoir le temps de me préparer avant l'arrivée de maman. Mais elle m'attendait dans la cuisine, en sirotant un verre de jus de pomme.

– Tiens ! Le géant vert !

Je n'ai pas saisi. J'étais beaucoup trop paniqué. D'un coup de menton, ma mère a désigné la combinaison.

– Ça sort d'où ?

– Hmpff... Hmpff...

– Je vois une veine qui ressort sur ton front. C'est l'effort pour trouver un mensonge. Arrête ça, tu vas nous faire un malaise.

– Hmpff...

– Arrête, j'ai dit ! Ha ! Je remarque que monsieur n'a plus de chaussures ! Et où sont tes affaires de classe ? Tant que j'y suis, ça me revient d'un coup : à propos de classe... le collège m'a appelée pour me dire que tu séchais tes cours de l'après-midi. J'ai essayé de te joindre, ça ne répondait pas. J'ai encore perdu une heure et demie de boulot à cause de toi, et là, j'étais en train de téléphoner aux urgences pour vérifier si ton cadavre ne traînait pas dans une morgue...

– Mais non. Je suis prudent !

C'était néfaste, chez moi, cette propension à balancer la mauvaise phrase au mauvais moment.

Très délétère.

– Prudent ! Regardez-moi l'état du gars prudent !

– Je vais très bien...

– Ça ne sera plus le cas quand j'en aurai fini avec toi.

– Mais j'en ai besoin pour mon travail !

– Ton travail ? Tu veux dire, celui que tu effectues quand tu joues les Huckleberry Finn avec tes orteils crasseux, dehors, pendant les heures de cours ? Tu n'as pas besoin d'ordinateur pour ça.

– Qui c'est, Huckleberry Finn ?

– Et en plus, mon fils est ignare !

– Oui, ben moi, les trucs de vieux...

– J'ai trente et un ans ! Traite-moi encore de vieille, pour voir !

– Non, non...

Ma voix mourait. Je crois que j'aurais préféré faire la sieste enfermé dans un sac avec des crotales diamantins plutôt que d'affronter la colère de ma mère. Je me demande pourquoi je lui répondais.

– Tu es allé voir le Méchant du Lac. Avec la petite cinglée.

– Elle n'est pas...

– Je dis ce que je veux ! Je suis chez moi !

Récapitulons : tu as séché le collège, tu t'es fait barboter tes vêtements, ton téléphone et tes affaires de classe. Tu as volé une combinaison sur une corde à linge.

– Emprunté !

– Emprunté, c'est quand on demande, mon garçon. Est-ce qu'au moins vous avez revu le grand serpent ?

– Hmpff...

– Tu recommences !

– On n'a rien vu du tout.

– Dis donc, avec ta copine, tu n'as pas... vous n'avez pas...

– Quoi ?

– Tu sais ! Vous n'avez pas...

Le subit embarras de ma mère m'a étonné.

– Pas quoi ? ai-je demandé, curieux.

– Arrhh !

– Que... Oh ! Ça va pas ?

– Ça va parfaitement, merci. Et on évite de dire « ça va pas » à sa mère, sauf si on aime les ennuis.

– Maman !

– Ne joue pas au naïf. Tu as assez menti pour qu'on ne te croie pas à chaque fois que tu ouvres la bouche, non ? Quatorze ans, on prétend que c'est l'âge bête. Moi, je dirais plutôt l'âge crétin. L'âge imbécile. Je n'ai pas l'intention d'être grand-mère avant une bonne décennie, et encore. Je ne suis pas certaine que des gars dans ton genre doivent se reproduire.

– C'est... c'est... écœurant !

– Très bien. Tu vas pouvoir couver ton écœurement dans ta chambre. Je t'accompagne, j'ai un ordinateur à récupérer.

. 21

Pour la première fois de mon existence, je me suis retrouvé enfermé sans aucun moyen de communication. On prétend qu'il suffit d'entendre « la gourde est vide » pour sentir venir la soif. Je ne pouvais plus joindre Daffodil, je l'ai compris, et j'en avais d'autant plus envie. Le seul téléphone fixe de notre maison se trouvait dans la cuisine, et même si j'avais pu m'en servir, ce sont les parents de la fille aux yeux mauves qui auraient décroché. Mais comment faisaient-ils, autrefois ? De quelle façon se débrouillaient-ils, au temps de nos grands-parents, quand ils étaient adolescents ? Maman elle-même m'avait assez répété qu'à mon âge elle ne possédait ni téléphone cellulaire ni, d'ailleurs, le moindre outil informatique. Elle utilisait l'ordinateur à l'école, et c'était tout. Dans son milieu, rares étaient les enfants qui avaient même les moyens de posséder une console.

C'était mon tour : je revenais à l'âge des cavernes.

Ma mère avait récupéré la combinaison verte, l'avait mise à la machine en me disant que nous la rapporterions à son propriétaire dès qu'elle serait sèche.

Ce « nous » m'alarmait. Quel être sensé aurait voulu s'encombrer de la redoutable Flower Ikapo pour une tâche si déplaisante ?

La banderole !

Red-faced.

Comment pouvais-je être aussi étourdi ? Je l'avais laissée au matin, derrière les sassafras, mais les catastrophes de la journée s'étaient succédé, et je n'y avais plus songé. Une vilaine pensée m'est venue : si j'en parlais à maman, elle oublierait aussitôt ses griefs pour se concentrer sur notre ennemi commun, celui qui n'aimait pas la couleur indienne. Je connaissais la mécanique maternelle, c'était le plus sûr moyen de recouvrer une liberté de mouvement.

J'ai sauté de mon lit, j'ai tendu la main vers le bouton de porte de ma chambre. Et j'ai laissé retomber mon bras. Il m'était impossible d'agir de cette manière. Si dans la matinée j'avais décidé d'épargner à ma mère cette chose tellement laide, pourquoi aurais-je changé d'avis parce que, tout à coup, cela me convenait ? Rien n'était différent. Flower Ikapo était toujours la même, une femme à la dure apparence, mais qui serait bouleversée par l'apparition, sur son terrain, d'un bout de tissu contaminé. Je me suis rappelé la nouvelle discipline que je m'étais fixée. La décision que j'avais prise de pouvoir, par la nature de mes actes nouveaux, me regarder dans la glace, et qui me serait très utile quand viendrait l'heure de me raser.

Il était temps pour moi de prendre mon tour de garde. De protéger un peu ma mère.

Passer par la fenêtre pour récupérer la banderole afin de l'inspecter à loisir dans ma chambre ne me prendrait que deux minutes. Le seul danger était que maman pouvait m'apercevoir lorsque je me trouverais en façade. Il faudrait que je m'assure qu'elle était occupée dans une pièce dont les ouvertures ne donnaient pas sur l'avant de la maison.

J'ai fait un tour de reconnaissance aux toilettes, en tendant l'oreille. J'ai entendu ma mère qui, dans la cuisine, fredonnait *Flick of the Switch* d'AC/DC, son morceau préféré, sorti l'année de sa naissance. Elle reproduisait même les riffs de guitare. Ça aussi, elle le faisait bien. Pourquoi est-ce qu'elle continuait à fabriquer, jour après jour, ses décorations ? Maman aurait pu accomplir tout ce qu'elle désirait. Un travail plus intéressant, plus rémunérateur, plus gratifiant aussi. Elle se punissait de quelque chose. De la perte de ses parents, du départ de mon père, des imperfections qu'elle s'inventait. Et, qui sait ? de la mauvaise éducation de son fils. J'allais lui montrer que j'étais à la hauteur.

Tant qu'elle resterait dans la cuisine, ma mère ne pourrait pas me voir : les roses trémières avaient atteint, cette année, une hauteur inhabituelle, et s'élevaient devant la fenêtre en une haie multicolore. Je suis retourné dans ma chambre, j'ai enfilé des sandales sur mes pieds cloqués recouverts de crème antibrûlure, puis j'ai enjambé le rebord de la fenêtre. Dans mon dos, la porte s'est ouverte à la volée.

– Tiens, tiens ! Où est-ce qu'on s'apprêtait à filer comme ça ? Tu ne vas nulle part ! Ou plutôt, si, tu m'accompagnes. Nous avons une combinaison à rapporter à son propriétaire !

– Maintenant ?

À cheval sur le rebord, je n'étais pas à mon avantage.

– Oui, maintenant. Tout de suite ! Dis-moi, je vais devoir clouer les volets pour m'assurer que tu ne joues pas les petits fugueurs ? Il faut que je t'attache au pied de ton lit avec une chaîne ?

– Très fin. Très drôle.

– Ou alors, une alarme à la cheville, comme les... Mais ! Tu as collé de la Biafine plein tes sandales ! Des Timberland presque neuves ! Lachlan, tu es vraiment... la honte de la famille !

– On n'en a pas, de famille.

Pendant que nous longions le lac, maman a fréquemment quitté des yeux le ruban d'asphalte pour scruter les eaux étincelantes, ses doigts pianotant sur le volant, et je savais ce qu'elle avait en tête. Tous les deux, à dire vrai, nous pensions à Ogopogo. Pourquoi s'était-il montré à moi, et pas à ma mère, qui croyait en lui depuis toujours ? J'avais eu beau le lui décrire, ce n'était pas comme si elle avait regardé les anneaux glisser lentement dans l'eau, évoquant une sorte de danger langoureux, terrible et désirable à la fois.

– Pourquoi est-ce que les humains aiment les monstres ? ai-je demandé.

– Tu crois qu'ils les aiment ?

– On n'en mettrait pas partout, dans les films et les jeux, et les contes, et tout ça. On ne parlerait pas autant d'Ogopogo, ici...

– Je ne sais pas si nous aimons les monstres. Nous en avons besoin. L'homme est devenu si puissant qu'il n'a plus de maîtres. Je n'ai qu'une vague idée de ce qu'il en était autrefois, à l'époque où on était si fragile face aux animaux, où le danger était constant. Mais de nos jours, c'est l'homme qui tue, sur la Terre. Il extermine et il règne. Alors il peut se permettre le luxe de se choisir des peurs, ou d'en inventer. Pour la plupart des gens, N'ha-a-itk, c'est une terreur inoffensive. Sauf si tu t'aventures sur son lac. Ils savent que le grand serpent ne viendra pas les chercher dans leur lit.

– Mais si tu vas sur l'eau...

– Comme certains ânes bâtés de ma connaissance... Bon ! Lachlan ! Où est-elle, cette maison ?

– C'est celle-là, là-bas. Maman, tu voudras bien me laisser parler ?

– Avec le plus grand plaisir.

La lumière déclinait. Il faisait encore jour, mais le soleil effleurait l'horizon. Fixé à la porte de la petite baraque isolée, il y avait un heurtoir en forme de poing, sans doute beaucoup plus ancien que la construction. Nous venions de parler de contes et de monstres, cet objet insolite m'a remis dans cette ambiance un peu irréelle. Maman, impatiente, m'a fait signe, mais comme je ne bougeais pas, c'est elle qui a saisi le heurtoir, et l'a cogné trois fois sur son support de métal. J'ai entendu le raclement d'un meuble sur un parquet, trois pas très lourds, puis le battant s'est ouvert, lentement. L'embrasure tout entière était occupée par un corps monumental, mais, telle celle d'un diplodocus, la petite tête qui prolongeait cet édifice de chair s'est courbée vers nous, en passant sous le linteau. C'était un garçon qui ne devait pas avoir beaucoup plus que mon âge, pourtant il dépassait largement les deux mètres. Lorsqu'il nous a vus, il a ouvert grand la bouche, puis il a crié :

– Papa ! C'est des Indiens !

Du fond de la pièce, derrière le géant, une voix gaie, sonore, a répondu :

– Fais-les entrer, Royal.

Le garçon a récupéré sa tête, puis il s'est effacé dans l'ombre, laissant entrevoir une salle à manger baignée de lumière jaune d'or.

– Vite, vite, a repris la voix. Ne restez pas là ! Les moustiques vont nous envahir !

Avec un grommellement résigné, maman a franchi le seuil.

. 22

Dans cette curieuse maison, on accédait directement à la salle à manger, qui servait également de salon, de cuisine et d'atelier : on trouvait là, dans un espace assez réduit, une grande table, quatre chaises dépareillées, deux fauteuils de cuir défoncés, un évier à la faïence fendue, et une espèce de bureau. Les murs étaient recouverts de lambris de bois blond. Dans ce fatras, le géant semblait occuper à lui seul la moitié de la pièce. Les bras ballants et la mine réjouie, il attendait, comme si nous étions des bonnes fées venues le couvrir de présents.

Un petit homme était assis devant le bureau, minuscule, qui ressemblait à ces meubles jouets qu'on destine aux enfants.

– Bonsoir, chers amis ! Veuillez m'excuser si je ne me lève pas tout de suite, j'ai une mouche à finir, et, croyez-le, c'est une vicieuse qui ne se laisse pas entortiller.

– Papa ! Ils ont mon habit !

Le géant venait de reconnaître la combinaison.

– C'est les Indiens qui avaient pris mon habit !

Si j'avais été seul, je crois que je me serais enfui, et très vite. Je me voyais déjà écrabouillé entre les pattes du diplodocus. Mais maman, flegmatique, a dit:

– Oui. Messieurs, nous vous rapportons la combinaison que mon fils a malencontreusement empruntée. C'est lavé.

– Elle est même pas à sa taille! a protesté le garçon.

En se levant, le petit homme a fait grincer sur le plancher le tabouret sur lequel il était assis. Il s'est avancé vers nous. Sa démarche était celle d'un danseur, ou d'un gymnaste.

– Orion! s'est écriée ma mère.

– Tiens, tiens! Voleurs et amateurs d'étoiles, voilà un mélange intéressant, a répondu l'homme. Il avait, sur le visage, un tatouage mystérieux, constitué de sept gros points bleus qu'on aurait dits jetés là au petit bonheur.

– Je n'ai jamais rien volé de ma vie, a répliqué maman.

J'ai eu le sentiment qu'elle se désolidarisait de moi, mais après tout, n'était-ce pas la simple vérité? Je ne l'avais jamais vue commettre une malhonnêteté. Elle ne m'avait pas non plus tenu la main pendant que je décrochais le vêtement du fil. En revanche, pourquoi «Orion»? Et pourquoi l'homme parlait-il d'étoiles?

– La constellation! ai-je trouvé, d'un coup.

Le petit homme portait, tatoués sur sa figure, les feux d'Orion. Notre professeur de physique, grand amateur d'astronomie, nous avait projeté un film sur ce sujet. Les amoureux de l'espace sont de vrais fanatiques, ils ne voient pas le ciel comme nous. Dans le champ infini des étoiles, ils trouvent des mondes. Ils construisent des histoires compliquées, où chaque astre a sa personnalité. Ce professeur, qui prétendait que les cieux nocturnes avaient offert aux hommes leurs premiers contes et leurs premières lectures, considérait Orion comme la plus belle des constellations, et je venais de la reconnaître, il n'y avait aucun doute : les trois étoiles alignées du centre, les quatre grosses, qui formaient un quadrilatère.

Maman aussi pouvait déchiffrer la nuit. Un jour, m'avait-elle dit, alors qu'elle venait de fêter sa douzième année, elle avait décidé qu'il lui était nécessaire de comprendre ce qui se passait au-dessus de sa tête. Elle avait emprunté un livre à la bibliothèque de la réserve, et elle avait appris par cœur toutes les constellations qu'elle pouvait observer à l'œil nu. Il y en avait énormément. Avec son pragmatisme, Flower Ikapo accomplissait des merveilles. Cependant, fidèle à son caractère singulier, elle n'avait pas cherché à me faire connaître de force ce qu'elle appelait le chemin des étoiles.

– Il faut que ça vienne de toi. Je ne suis pas un de ces Français qui gavent les oies. Si tu veux rester ignorant et vivre dans un monde où tu ne te retrouves pas, je n'y peux rien, m'avait-elle déclaré.

Tout était si simple, en apparence, quand on écoutait ce discours. Ne suffisait-il pas de s'y mettre ? Je me promettais d'agir de cette façon, mais mes forces m'abandonnaient. Cela ne valait peut-être pas la peine... Après tout, pouvoir nommer les constellations, qu'est-ce que ça apportait à la vie de tous les jours ?

Il n'y avait, derrière mes arguments, que de la paresse.

– Mon nom est Flower Ikapo. Et celui-là, c'est mon fils, Lachlan.

Ma mère a tendu la main au curieux bonhomme, qui l'a serrée entre ses paumes, courbant un peu la tête en un mélange d'ironie et de prévenance.

Sans laisser à son père le temps de répondre, le géant a brandi sous mon nez ses doigts boudins.

– Moi, mon nom, c'est Paul, mais je préfère qu'on m'appelle Royal.

Tant pis. Peut-être que je méritais d'avoir les os brisés. Mais la poignée de main a été légère, prévenante.

– Je suis Simon Sog, a dit l'homme au tatouage, qui avait considéré le *shake-hand* entre son fils et moi avec une attention soutenue. Je suppose que ce n'est pas vous qui avez déposé notre chemise devant la maison il y a une heure ? Ou alors, vous aimez faire les choses en deux fois.

Maman est restée silencieuse. L'homme a repris :

– Non ? Ce n'est pas vous ? Parce qu'on nous avait aussi... emprunté une chemise, et voilà qu'elle a réapparu lavée, et pliée, sur le pas de la porte. Il me semble même avoir perçu une odeur d'assouplissant...

Je devais me lancer, maintenant, dire quelque chose, pour éviter que la conversation ne dérive sur Daffodil. Manifestement, la fille aux yeux mauves avait trouvé le moyen de s'évader encore, pour rapporter la chemise. Mais si elle était revenue, elle n'avait pu accomplir la route à pied. Ç'aurait été beaucoup trop épuisant, et interminable. En vélo ? C'était possible si elle avait roulé à toute vitesse, mais comment, alors, l'absence de Daffodil dans la maison n'avait-elle pas été remarquée par ses parents, qui devaient depuis longtemps être rentrés de la banque ? Encore une bizarrerie. Rien n'allait jamais de soi avec l'émigrée d'Ottawa.

J'ai mis la main à la poche, et je me suis entendu ânonner :

– Je voudrais vous donner un dollar.

Comme je m'y attendais, l'homme à la constellation a aussitôt répliqué, railleur :

– C'est une sorte de pourboire ?

– Non, pas du tout... J'ai promis à quelqu'un que je le ferais.

– Moi, je veux bien un dollar. Je pourrais acheter un beignet, a dit le géant.

– Avec de la gelée de framboise, a-t-il précisé tandis que je lui tendais la pièce.

Simon Sog le tatoué ne me quittait pas des yeux, comme s'il me défiait de railler l'esprit simple de son fils. J'avais déjà remarqué cet air chez la mère d'un camarade, à l'époque où j'étais dans la plus petite classe du collège. Son enfant était myopathe. Il venait en classe engoncé dans un corset boulonné, d'où dépassaient des bras atrophiés semblables aux fils de cuivre recouverts de tissu qu'on trouve à certaines marionnettes. Son cou aux vertèbres saillantes était fin comme une brindille. Quand sa mère venait le chercher à la sortie, elle défiait tout le monde, menton levé, de traiter son fils sans égards.

Les parents des malades et des handicapés montent la garde pour défendre la dignité de leur enfant fragile.

Gêné par cette scrutation, j'ai laissé dériver mon regard vers une des fenêtres, qui offrait une large vue sur le lac. Un adolescent blond à la silhouette élancée se tenait près du rivage. Il était trop loin pour que je puisse le reconnaître avec certitude, mais son geste a été vif et précis quand il a jeté une branche dans l'eau. Un peu trop précis même, comme s'il s'appliquait parce qu'il se savait observé. Cela ressemblait bien à Edward. J'ai été happé, simultanément, par une forte nostalgie et par une bouffée de colère.

– Il faut que je vous masse, a lancé le petit homme.

Cette déclaration a ramené toute mon attention dans la pièce, surtout quand j'ai constaté qu'elle s'adressait à maman, qui est demeurée pantoise un court instant, avant de siffler :

– Je vous demande pardon ?

Simon Sog devait avoir un caractère d'acier, parce que n'importe quel être humain, face à l'attitude glaciale de ma mère, se serait aussitôt décomposé. Lui n'a pas cillé.

– Il faut absolument que je vous masse. Vous avez les trapèzes tendus, je vois ça d'ici. Et il y a une crispation sous votre mâchoire gauche.

– Mon père, il est masseur ! a dit le garçon géant. Il a un diplôme !

– À dire vrai, j'en ai même plusieurs. Je suis kinésithérapeute, ostéopathe, spécialiste en *trigger points*, et je peux...

– Personne ne va me toucher, ça, non ! a dit maman.

Le tatoué a sautillé vers son bureau. Il a ramassé sur le meuble l'objet sur lequel il travaillait lorsque nous étions entrés dans la pièce.

– Je fabrique aussi des mouches pour la pêche au saumon. Il faut des doigts de fée ! Vous allez voir ça ! Asseyez-vous...

– Dans tes rêves, mon petit coco. Pouf! Pouf! Dans tes rêves!

Les mots rigolos. Voilà qui dénonçait un sinistre point d'ébullition. Mais le pauvre inconscient s'est rapproché de ma mère, et mes orteils se sont contractés dans l'attente de quelque chose d'indicible, qui aurait à voir avec un accident de voiture sur une autoroute, ou la chute d'une grande roue dans une fête foraine.

– J'aime beaucoup l'idée d'être votre petit coco. Prenez donc cette chaise, elle est très confortable.

À ma grande stupeur, Flower Ikapo, la terreur de Kelowna, l'ogresse de l'Okanagan, s'est laissée tomber sur le siège.

. 23

Était-ce Ogopogo, le Méchant du Lac, ou Daffodil Drooler, la fille aux yeux mauves, ou bien encore les deux en même temps, qui avaient, par leur survenue, brisé l'ordre logique du cosmos ? J'assistais depuis des jours à des événements anormaux, mais ce dont j'étais témoin remportait cette fois haut la main la palme de l'inattendu.

Ma mère, Flower Ikapo, les yeux clos, se laissait masser les épaules par un petit bonhomme au visage criblé de points bleus. Ses mains reposaient à plat sur ses genoux, elle se tenait droite sur la chaise, mais elle était sereine. Les tensions de ses muscles cédaient, les unes après les autres : des câbles invisibles qui l'auraient emprisonnée, et qu'on aurait tranchés un par un. Son visage en était changé. Il rajeunissait, à mesure que les doigts de Simon Sog s'enfonçaient, puissants et chirurgicaux, à des endroits stratégiques.

Royal jouait avec la mouche artificielle que son père nous avait montrée. Il chantonnait « bzz ! bzz-bzz ! », et c'était le seul bruit qui s'élevait dans la pièce tranquille.

Maman s'est endormie. Elle n'a pas glissé de la chaise, il ne s'est rien passé de spectaculaire. Simplement, au bout de quelques minutes de massages savants exercés par le petit homme qui se tenait debout derrière elle, Flower Ikapo la sanguinaire a fermé les yeux, puis un léger ronflement, semblable au ronronnement d'un chat, s'est échappé de sa bouche. Je n'étais pas seulement stupéfait, mais aussi un peu déçu. Est-ce qu'on ne dénicherait pas, chez chaque spectateur d'un numéro de dressage, le désir secret que le dompteur se fasse dévorer par les tigres, l'ours et la panthère noire ?

Ma mère était scandaleusement docile.

Simon Sog a contourné la chaise pour venir contempler son œuvre. Le ronflement de maman s'est fait plus sonore. J'ai pris conscience du fait que je n'avais jamais vu dormir ma mère. Elle se couchait après moi, et se levait plus tôt. La seule idée d'une sieste l'aurait fait renifler de mépris. Je n'arrivais pas à croire qu'elle avait pu s'assoupir devant deux étrangers, dans une maison qui n'était pas la sienne.

– Beaucoup de stress, a chuchoté le petit homme, la mine aussi préoccupée que s'il parlait d'une intime. Beaucoup trop. Tu lui donnes du souci, Lachlan.

– C'est pas bien ! a dit Royal.

Ils ne savaient rien de notre vie. Je n'aimais pas cette intrusion, alors j'ai répondu par une question qui empiétait, en retour, sur l'intimité du masseur fabricant de mouches.

– Pourquoi est-ce que vous avez des étoiles sur la figure ?

– Parce que je suis un ivrogne. Et toi, pourquoi

est-ce que tu portes une minerve ? Je vois que tu t'es fait casser le nez...

– Une fille m'a donné un coup de poing.

Quel pouvoir pouvait bien avoir cet homme ? La vérité avait jailli sans que j'y prenne garde.

Pour avoir ma revanche, je suis revenu à la charge.

– Et vos étoiles ? Et Orion ?

– Tu vis seul avec ta mère...

– Comment vous le savez ? On n'en a rien dit !

– Ça se voit.

– Mais...

– Laisse-moi terminer, je réponds à ta question. Moi, je vis seul avec Royal.

– Maman est morte ! a glapi le garçon géant.

– Ma femme est morte, oui. Et quand elle a disparu...

– Papa s'est tatoué Orion sur la figure !

– Quand ma Zelda a disparu, j'ai un peu... perdu pied. J'ai bu. Royal a été envoyé dans un foyer spécialisé, et moi, pendant ce temps-là, je cherchais un moyen de... récupérer mon épouse, ce qui était un peu vain, je suppose. Il y en a qui portent la montre du cher défunt, ou qui dorment avec son T-shirt. Moi, j'ai voulu sacrifier à l'original, et, par un soir de grosse houle, je suis allé voir un tatoueur à la fête foraine de Kelowna. Je lui ai demandé Orion, la magnifique constellation, que ma Zelda aimait tant. En pleine face, s'il vous plaît. Eh bien, cher Lachlan, qui pourrait le croire ? Ce tatouage m'a porté chance. Je ne bois plus, j'ai récupéré Royal... Je regarde, dans le miroir, ma constellation, et je suis un homme heureux !

En se réveillant, ma mère a manqué tomber de sa chaise. Simon Sog l'a retenue. Il y avait chez le petit homme – dans ses mouvements et dans le contact qu'ils engendraient – un amalgame de professionnalisme et de tendresse, qui déroutait. Cet homme agissait comme s'il nous connaissait de longue date.

– Vous êtes reposée ? a demandé Royal, en faisant voler sa mouche jusque sous le nez de maman. Oui, vous êtes reposée, c'est obligé, tout le monde est reposé après les génials massages de mon père. C'est o-bli-gé !

– Laisse-la respirer, a dit Simon Sog. Et on dit les massages géniaux. Géniaux.

– Ils sont génials, tes massages géniaux !

Ma mère a bondi, y mettant plus d'énergie qu'on nous en demandait au collège pour les exercices de pliométrie du cours de gym.

– J'ai dormi ?

– Je le crains, chère Flower.

Cette constante dérision, chez le petit bonhomme tatoué, était aussi séduisante qu'exaspérante. Je savais qu'il en était de même pour maman. Au sarcasme méchant, elle aurait répondu par un barrage d'artillerie, mais on ne savait comment prendre Simon Sog, parce qu'il n'était pas méchant du tout.

– Vous m'appelez Flower ?

– C'est ainsi que vous vous êtes présentée tout à l'heure... Bien joli prénom. Difficile à oublier. Ne vous crispez pas comme ça, ou mon massage n'aura servi à rien. Mes intentions sont pures. Nous sommes en famille !

Famille ? Le masseur aux étoiles avait prononcé le mot qui flottait en moi, entre deux émotions, depuis que nous étions entrés dans cette maison. Où était mon père aujourd'hui ? Comment avait-il pu ne pas assez aimer ma mère, et l'être que j'allais devenir, moi, son futur fils, pour se débiner ainsi ? Qui était-il ? Nlaka-pamux ou Sinixt ? Shuswap ? Gros ou maigre ? Fort ou débile ? Assurément, il n'était pas prévenant comme Simon Sog.

Royal m'a donné une bourrade qui m'a rappelé aux réalités immédiates.

– On joue ? Toi, tu serais le crapaud, et moi, je serais la mouche. Bzz ! Bzz !

– Il est temps de partir, a dit maman. Merci pour le... le massage.

Le petit homme a écarté les bras et resserré les jambes, à la façon d'un gardien de hockey.

– Vous ne sortirez pas d'ici avant d'avoir bu ma tisane d'extrait d'écorce de pin !

– Vous voulez parier ?

J'ai été soulagé une seconde, en croyant constater que ma mère avait recouvré la raison. Mais elle a enchaîné :

– Je reviendrai...

Pour la plupart des gens, ce genre de promesse creuse ne prête pas à conséquence. Mais jamais maman ne parlait en vain. Alors, c'était avéré : elle flirtait avec l'homme d'Orion.

– Bzz ! Bzz-Bzz ! Bzz !

Simon Sog et son fils géant nous ont accompagnés hors de leur maison, pour nous dire au revoir.

– Tant pis pour les moustiques, avait dit l'homme aux étoiles.

Tandis que nous nous éloignions, Royal a agité son

long bras au-dessus de sa tête. Nous étions déjà loin quand je me suis retourné une dernière fois. Les Sog avaient l'air solitaires, je veux dire tout à fait seuls dans ce monde. Est-ce que maman et moi offrions le même spectacle ?

Nous avons longé le lac pour rejoindre la voiture que nous avions garée à distance. Comment aurions-nous pu savoir de quelle façon nous allions être accueillis, en rapportant la combinaison verte ? Je n'aurais pas été surpris si on avait lapidé notre carrosserie. Il y avait même des gens du coin – j'en connaissais – qui nous auraient offert des aérations de portière à la chevrotine.

– Ogopogo !

– N'ha-a-itk !

Ma mère et moi avions parlé en même temps. J'avais donné au monstre son nom blanc, et elle, son nom indien. C'était pour nous une façon de désigner ce qui nous troublait. Sa présence était si palpable que je m'attendais à ce que le grand serpent émerge des eaux, à cet instant précis, pour nous confronter à nos peurs et à notre incompétence.

Soudain, j'étais tout entier accaparé par le souvenir du Méchant du Lac. J'y associais Daffodil, avec son crâne et ses sourcils rasés, ses yeux magnifiques. Son enthousiasme fou.

Je suis tombé d'un bloc. C'est ce qu'on m'a dit quand j'ai émergé, parce que sur le moment, moi, je n'ai rien senti.

. 24

– Lachlan ? Lachlan ?

Quelque chose appuyait sur mon front. Et j'avais l'impression qu'on m'avait ligoté.

– Lachlan ?

J'ai battu des cils, comme dans de la poix. Mes paupières étaient engluées.

– Lachlan ? Combien j'ai de doigts ?

Est-ce que je n'avais pas déjà vécu cette scène ?

– Tu peux suivre la lumière avec ton regard, Lachlan ? Droite... gauche... Oui. Pupilles réactives. Constantes ?

J'ai entendu une bouillie de mots confus, plusieurs personnes qui échangeaient des phrases courtes sans que je puisse les voir, puis mes yeux se sont totalement ouverts. Un flot de lumière blanche m'a ébloui. J'ai bredouillé, ne reconnaissant pas mon propre timbre :

– Daffodil m'a encore cogné ?

Ma mère est apparue dans mon champ de vision, avec les traits déformés d'une photo prise au grand-angle.

– Non. Tout va bien.

J'ai essayé de relever la tête, mais j'étais cloué à quelque chose de plat. Une autre figure a remplacé celle de maman. Un homme noir, rouflaquettes fournies, qui s'exprimait avec une application lasse.

– Ne bouge pas, Lachlan. Tu es dans une ambulance...

– Oh, merde !

– Tu es dans une ambulance, nous te conduisons à l'hôpital. Je m'appelle Ray. Je suis médecin. Il n'y a rien de grave, nous t'avons juste immobilisé en attendant de vérifier que tu n'as pas de fracture ou un autre petit souci. Tu veux bien serrer mes deux doigts ? Voilà. Parfait. En pleine forme.

– Qu'est-ce qui s'est passé ?

Ma mère a réapparu dans mon champ de vision.

– Nous en parlerons plus tard, si tu veux bien, mon chéri.

Ces mots doux m'ont plus effrayé que le reste.

– Je veux qu'on me dise ce qui s'est passé !

– Tu as reçu un projectile à l'arrière du crâne.

– Un... hein ?

– Tiré par un lance-pierre. C'est ce que pense la police.

Nous sommes arrivés à l'hôpital. J'accumulais les points de fidélité, bientôt on allait m'offrir un stéthoscope ou un lot de seringues.

Il n'y avait pas la moindre chance pour que les Sog m'aient tiré dans la tête, cela n'aurait eu aucun sens. Mais qui, alors, m'avait pris pour cible ? C'était le moment de tout révéler, même sur la banderole, d'expliquer à maman que quelqu'un s'acharnait sur moi depuis des jours. On finirait par avoir ma peau. Malgré tout, je n'ai rien dit. Par entêtement, parce que d'une certaine façon, je ressemblais à Flower Ikapo. Je voulais régler mes problèmes seul. Pendant que je subissais les examens, je me suis appliqué à passer en revue ce qui avait pu m'échapper, dans mon entourage. Depuis que j'avais pris le parti de Daffodil au collège, on m'avait fui, raillé, peut-être méprisé, mais poser une banderole raciste sur notre gazon ? Voler mes affaires ? M'envoyer une bille métallique dans le crâne ? C'était une tout autre démarche. Il y avait de la haine là-dedans. Qui pouvait aller aussi loin ? Qui me détestait assez pour mettre ma vie en danger ? Edward. Comment se faisait-il alors que je n'y croie pas ? Les conséquences ne l'auraient arrêté en aucune manière, ce n'était pas cela qui me faisait douter, mais j'aurais vu clair en lui quand j'étais allé le trouver. Hier encore, nous étions frères.

Après qu'on m'a affirmé que tout était bien en place dans mon corps d'athlète, que j'avais l'occiput solide, et qu'on se contenterait de me garder quelques heures en observation, une policière est entrée dans la chambre que je partageais avec un vieillard crachotant n'arborant plus, en guise de chevelure, qu'une fine crête blanche hirsute.

La représentante de l'ordre était une femme aux pommettes rouges, aux yeux clairs et candides, qui portait son uniforme comme un déguisement.

– Bonjour ! Je suis le sergent Ella Belany, de la RCMP. Comment te sens-tu, fiston ?

– J'aime pas les flics ! a lancé le vieux depuis son lit, dont les draps étaient tirés au cordeau sous son menton.

La policière ne lui a pas accordé la moindre attention.

– Pas trop mal au crâne ? Je peux te poser des questions ? C'est toujours mieux de faire vite, si on veut retrouver les agresseurs.

– À mort la flicaille ! Crooff ! La Royal Canadian Mounted Police, c'est qu'une bande d'assassins ! Crââ ! Euââcrr !

– Monsieur ?

– Je sais ce que je dis ! Crââ ! Croff ! Oh, mais je les connais, moi, les condés ! Y ont tué mon cousin à Cypress Hills !

Le sergent s'est approché du vieux, qui s'est ratatiné dans ses draps.

– Le massacre de Cypress Hills remonte à 1873, monsieur. Alors, à moins que vous ayez cent cinquante ans – et dans ce cas, félicitations, vous ne les faites pas –, je me demande comment votre cousin aurait pu être né à cette date. D'autre part, cette triste histoire impliquait des chasseurs américains de bisons et de loups, des trafiquants de whisky canadiens, et des natifs assiniboine. Notre corps n'a jamais tué personne là-bas.

– Assassins ! a repris le vieux, sans conviction.

La policière s'est penchée sur lui. L'anarchiste a fini par tirer le drap par-dessus sa tête, mais le sergent Belany est resté sur place un moment, comme s'il lui était possible de contempler le vieux à travers le tissu. Est-ce qu'une seule personne allait se conduire normalement, au cours de ces journées loufoques ?

– Bon ! À nous deux ! a dit Ella Belany, une fois revenue près de moi. Regarde ça attentivement, Lachlan.

Elle a sorti de sa poche de poitrine et brandi, entre

le pouce et l'index, un petit sachet transparent qui contenait une grosse bille chromée.

– Tu sais ce que c'est ?

– Une granny-smith ?

– Lachlan ! Tu ne vas pas t'y mettre aussi ! Arrête de faire le crétin et réponds ! a dit maman, qui était assise à mon chevet.

– D'accord. C'est une bille en métal.

– Et tu sais à quoi ça sert ?

– Comme je suis une espèce de génie, j'en arrive à la brillante conclusion que c'est ça qui m'a touché à la tête.

– Et moi, comme je suis une policière éclairée, je crois percevoir du sarcasme dans tes propos. Est-ce bien du sarcasme ? Se pourrait-il que tu n'aimes pas la police, comme ton très charmant voisin de chambre ?

Le vieux punk a poussé un gémissement indigné.

– Parce que, dans ce cas, a repris le sergent Belany, je pourrais me demander pourquoi précisément tu ne nous aimes pas. Madame Ikapo, votre fils a-t-il déjà été mêlé à du trafic de drogue ?

Maman, qui était en train de boire de l'eau dans un gobelet de plastique, s'est étouffée.

– Drogue ? Vous avez perdu l'esprit ? C'est un gosse !

– Je vois là sur la fiche qu'il a quatorze ans. J'ai arrêté la semaine dernière un gamin de onze ans qui servait de mule à des *dealers* de *crack*.

– Ça, c'est classique, chez les flics ! On est agressé, on les appelle, et on se retrouve accusé !

– Vous non plus, madame, vous n'aimez pas la police ?

– Ce n'est pas...

– Avez-vous un casier judiciaire ? Votre fils a-t-il des antécédents ?

La femme aux pommettes rouges n'avait plus l'air innocent du tout. Et son uniforme lui allait à merveille.

La policière m'a longuement interrogé, après être allée vérifier, depuis son véhicule, si maman et moi étions fichés quelque part. Quand elle a sous-entendu que Daffodil pourrait être la coupable puisqu'elle m'avait déjà frappé – j'avais dû expliquer la minerve et les yeux de loir –, j'ai eu un haut-le-cœur.

– Impossible !

– Pas plus tard que le mois dernier, j'ai eu le cas d'une petite copine qui...

– Non. Pas Daffodil.

– Il a raison, a dit ma mère. Jamais cette petite ne pourrait lancer une bille de métal sur quelqu'un.

– Pas besoin de beaucoup de force. Avec un bon lance-pierre, ces saletés partent à trois cents mètres.

– Je ne parle pas de force, a répliqué maman, exaspérée. Je parle de gentillesse et de responsabilité.

– Il y a trois jours, j'ai placé en cellule une...

– On le sait ! Oui ! Le monde est un enfer, il y a des méchants partout ! Mais cette petite Daffodil aime... elle aime mon fils.

– Raison de plus. Possibilité de crime passionnel.

Maman a produit un grincement horripilé.

La fille aux yeux mauves et moi, nous nous aimions. L'avoir entendu dire m'a rendu des forces, et soudain je me suis senti heureux.

Ella Belany nous a laissés en paix, après avoir évoqué – très brièvement – le fait que nous étions indiens. « Et du côté de la réserve ? » avait-elle demandé, mais elle avait effectué aussitôt un demi-tour en catastrophe. Elle savait qu'elle s'engageait sur un terrain glissant. La police blanche s'efforçait de ne pas empiéter sur les prérogatives de ses collègues okanagan. Même si les gens de la réserve, et les Indiens en général, étaient soumis aux lois fédérales, le gouvernement préférait éviter les confrontations.

Quand le sergent est sorti de la chambre, le vieux à la crête blanche a extirpé de sous les draps un bras décharné, et a brandi un poing vengeur.

Une infirmière est venue retirer la perfusion glucosée qu'on m'avait posée. Elle a pris ma tension, mon pouls et ma température.

– Comme neuf, a-t-elle déclaré. Bon pour le service.

– Moi aussi ! a dit le vieux. Moi aussi !

– Vous préférez les infirmières à la police, hein, vieux bandit ? lui a demandé ma mère.

Souriant, il a dévoilé un unique chicot jauni.

– J'aime bien les Indiennes aussi.

– Admirez-les de loin. C'est meilleur pour votre santé.

. 25

On l'a entendue venir de loin. Elle braillait en roulant fougueusement ses « r ».

– La chambre des Ikapo ? Où elle est ? Mais y a quelqu'un qui va se décider à me répondre, dans ce foutoir ? Horaire de visites ? Quel horaire de visites ? Je veux les voir !

Puis elle a déboulé, furie échevelée, ruisselante de transpiration et plus rouge qu'Ogopogo au soleil couchant.

– Pardon pour le retard ! Ces empotées du boulot ! Impossible de les laisser seules. Tu sais, Flower, l'arrivage de médailles militaires pour la commémoration ? Elles ont emmêlé les factures, et on ne savait plus quel paquet correspondait à quoi. Il a fallu tout ouvrir ! Pas pu partir avant l'heure, c'était un coup à me faire virer !

– Salut, Fenella, a dit maman.

– Rondeurs appétissantes ! a bafouillé le vieux.

– De toute façon je n'étais bonne à rien, à l'atelier. Ton coup de fil m'a inquiétée, Flower. J'étais dans les *starting-blocks*. Comment y va, Daffy Duck ?

Puis, réagissant à retardement, Fenella Mac

Lochlainn, la fausse Écossaise, s'est tournée vers l'anarchiste à crête.

– Est-ce que je rêve, ou est-ce qu'il y a un inconscient, dans cette pièce, qui a prononcé le mot « rondeurs » ?

Le vieux punk devait adorer les réprimandes. Lorsque la grosse femme a fondu sur lui, il s'est réfugié sous les draps avec un piaillement ravi de marmot. La rouleuse de « r » s'est bornée à donner un coup de pied dans le lit. Puis elle a tiré en arrière son épaisse chevelure, et elle s'est confectionné un chignon qu'elle a coincé adroitement autour d'un crayon à papier.

– C'est bien, les hôpitaux, en cette saison. Ils ont l'air conditionné. Pas vrai, Lachlan ? C'est pour ça que tu as pris un abonnement ? Qu'est-ce qui s'est passé, ce coup-ci ? Tu t'es encore fait agresser par une petite fille ?

J'ai essayé de ne pas montrer que j'étais vexé.

Après m'avoir soûlé de sarcasmes, Fenella est rentrée chez elle. Quand elle quittait une pièce, cette femme laissait dans son sillage une impression de vide et un silence religieux. Ma mère est allée régler les derniers détails de paperasserie au guichet.

– On les aura ! ai-je lancé, à tout hasard, à mon compagnon de chambre, pendant que je m'habillais.

Je ne savais pas du tout qui était ce « on », mais ça a eu l'air de lui faire plaisir.

Ici aussi régnait la règle absurde du fauteuil roulant. Les hôpitaux en étant heureusement pourvus, maman ne m'a pas porté dans les couloirs, que tous les dieux en soient remerciés. J'ai été poussé avec un peu de dignité.

En retrouvant l'air libre, encore chaud du soleil qui s'était caché derrière l'horizon, j'ai brusquement éprouvé une grande lassitude. J'ai eu envie de voir la fille aux yeux mauves. Je voulais sentir, sur mon bras, le poids léger de ses doigts.

Ma mère m'a laissé sur un banc pour aller rapporter le fauteuil. En revenant, elle m'a donné une pichenette.

– Tu te sens d'attaque pour manger dehors? C'est moi qui invite.

Il faisait nuit, mais une lune ventrue projetait sur les bâtiments, le parking et les jardins, une pâle clarté bleutée.

– Ou alors tu es trop fatigué, et on rentre directement. Mais je sais que tu aimes bien ça, le restaurant, hein?

Elle se montrait si empressée que j'avais du mal à reconnaître la Flower Ikapo de tous les jours. Le fait qu'elle ait éprouvé le besoin de joindre Fenella pour la prévenir de l'accident était déjà, en soi, bien surprenant. Maman avait eu très peur. Elle était seule à m'élever, elle ne trouvait d'appui nulle part. Je lui ai rendu sa pichenette.

– Un resto, bonne idée. Mais il faut que j'appelle Daffodil. Elle ne sait même pas ce qui s'est passé. Tu veux bien me prêter ton portable?

– Lachlan, tu es sûr que cette petite n'a rien à voir avec tout ça?

– Mais... tu viens de dire le contraire au sergent!

– Je sais ce que j'ai dit à la police. Mais toi, qu'est-ce que tu en penses?

Ç'a été une sorte de piège que cette simple question,

parce que soudainement me sont venues les interrogations que j'avais cachées sous le tapis : matériellement, Daffodil ne pouvait-elle pas avoir déposé la banderole, caché les vêtements et les affaires tandis que je nageais à la traîne en revenant de notre aller et retour à Rattlesnake Island ? Et n'était-elle pas assez forte pour tendre un lance-pierre et, de très loin, me toucher avec cette bille d'acier ?

Mais pourquoi aurait-elle agi ainsi ?

– Jamais elle ne ferait ça ! Comment tu peux seulement y penser ? me suis-je écrié.

J'espérais que la véhémence de mon indignation camouflerait mes doutes.

– Jasper Drooler, oui, j'écoute.

Évidemment.

Je me suis forcé à sourire. Il y en a qui prétendent que cela passe dans la voix.

– Bonsoir, monsieur. Est-ce que je pourrais parler à Daffodil, s'il vous plaît ?

– C'est le fils Ikapo ?

Je le voyais venir, rien qu'à son intonation, alors, perdu pour perdu, j'ai manqué répondre : « Non, c'est ta grand-mère ! J'appelle du cimetière ! »

Comme il restait tout de même une chance infime pour que cette conversation finisse bien, j'ai sagement articulé :

– Oui, monsieur Drooler. Comment allez-vous ?

– Tu te crois malin ! Les gens comme toi, ils se croient plus malins que nous !

– « Nous » ? Qui ça, « nous », monsieur Drooler ? Et qui c'est, les gens comme moi ?

C'était parti. Ça prenait un tour irrattrapable.

– Tu le sais très bien. On vous traite en égaux...

– « Vous » ?

J'ai senti que le champion de ski nautique allait raccrocher. J'ai continué, sans reprendre mon souffle :

– Pourquoi est-ce que je me croirais malin, monsieur Drooler ?

– Tu le sais très bien !

– Je vous assure que je ne vois pas de quoi vous voulez parler.

– Tu t'imaginais que je n'allais pas me rendre compte que ma fille avait pris sa bicyclette pour aller te retrouver ? Je suis aveugle, d'après toi ? Nous veillons sur nos enfants, nous !

C'était donc bien ainsi que Daffodil avait rapporté la chemise.

– Votre fille n'est pas venue me voir à vélo. Vous avez ma parole.

– Ha ! Une parole de moricaud.

– C'est drôle que vous disiez ça, monsieur Drooler. « Moricaud », c'est un mot que ma mère et moi utilisons pour nous moquer des racistes. Vous savez : « Il faudrait tous les envoyer sur une île se bouffer entre eux, ces satanés moricauds ! »

Le claquement du combiné ne m'a pas surpris. J'ai tout de même répété, stupidement :

– Allô ! Allô !

. 26

Un nuage est passé devant la lune. Une ambulance a surgi de nulle part, me frôlant, étrangement silencieuse. Elle a pilé devant l'entrée de l'hôpital. Tout un groupe en blouse claire, venu de l'intérieur du bâtiment, s'est activé autour de la civière qu'on sortait du véhicule. Cela se faisait sans bruit, mais il y avait dans les mouvements de ces gens une précipitation contenue qui prouvait que la situation était grave. J'ai tressailli. Cette bille d'acier aurait parfaitement pu me tuer. Celui qui me l'avait envoyée le savait. Je n'arrivais pas à croire qu'on avait réellement tenté de m'assassiner.

En traversant dans la pénombre l'étendue déserte du parking de l'hôpital que j'avais mise entre maman et moi pour pouvoir parler discrètement à la fille aux yeux mauves, j'ai vu Edward. C'était bien lui, cette fois il n'y avait pas de confusion possible. Il glissait sur son *skate,* plus loin, entre deux voitures. C'était un de ses dons : quand on l'observait sur sa planche, on pensait que c'était facile. On l'imitait, et on tombait.

– Edward ! Hé ! *homeboy !*

Il a griffé le sol du pied pour se donner de l'élan, et

il a viré vers moi. Quand il s'est arrêté, presque à me toucher, en relevant l'avant de sa planche pour la saisir du bout des doigts, j'ai été conscient que nous ne cesserions jamais d'être frères, que c'était inenvisageable, car quoi qu'il puisse se passer, notre enfance commune nous liait. Mais deux frères ne s'aiment pas forcément.

– Qu'est-ce que tu fais là ?

– Des *tricks*.

– Genre ?

– *Heelflip*.

Porté par le vent, le nuage s'est dissipé, et la clarté lunaire m'a dévoilé le visage clair de mon ancien ami.

– Et pourquoi sur le parking de l'hosto ? À la nuit tombée ?

– On m'a dit que tu y étais retourné. Je jetais un œil.

– Qui te l'a dit ?

– Un mec qui t'a vu ici, tout à l'heure. Tu as un nouveau pansement derrière la tête. C'est l'anormale qui t'a mis un coup de pioche ?

– Je crois que je ne t'aime pas beaucoup.

– C'est parce que tu fais ta crise d'adolescence.

– Tu pues le poisson.

– J'ai aidé les parents à nettoyer. Je suis un bon fils.

– Je sais que je vais te demander quelque chose de très difficile, Edward, mais j'essaye quand même : Dis la vérité. Pour une fois dans ta vie, ne mens pas. C'est toi qui es derrière tout ça ?

– Derrière quoi ? Tu ne m'as pas dit ce qui t'est arrivé ce soir.

– Je n'y crois pas, au fait que quelqu'un t'a prévenu de mon hospitalisation. C'est encore un de tes coups de vice à trois bandes.

– Le mec, c'est Dan Mahler. Il accompagnait sa tante en cardiologie, tout à l'heure, juste avant de livrer la glace à la poissonnerie. Il t'a reconnu dans le hall au moment de ton admission. Tu étais frais comme une tanche pourrie, d'après lui.

Les iris gris d'Edward luisaient, métalliques. Le tueur de chiens ne laissait filtrer aucune émotion. En l'affrontant on rencontrait du vide jusqu'à ce qu'au moment le plus inattendu, il frappe.

– Alors ? Tu as trop honte pour avouer ce qu'on t'a fait ? Tu es une vraie petite victime, mon Lachlan.

– Et toi, tu es venu traîner autour de l'hôpital parce que tu te tourmentais pour moi ? C'est trop mignon.

– Je peux y aller. Je suis rassuré.

Edward a posé sa planche sur le bitume, puis il s'est éloigné, slalomant en douceur entre les voitures. J'étais si désappointé que j'en ai tapé du pied, comme un petit enfant.

– Ce n'est pas Edward que j'ai vu là-bas avec toi ?

Le corps de ma mère parlait : il dégageait une tension subtile, ne se manifestant que par une crispation rythmique de l'index, mais c'était un des signaux d'alarme que j'avais appris à reconnaître.

– Si.

– Qu'est-ce qu'il fabrique ici ? Il va arrêter de nuire, celui-là. Comment est-ce que j'ai pu être assez irréfléchie pour te laisser le fréquenter, ça... Ses parents sont trop gentils. On a du mal à croire qu'ils ont engendré ce salopard. Cette pauvre Betsy, je vois bien que ça lui brise le cœur, de regarder son gosse. Il est venu te narguer ? Je vais l'écorcher, s'il est pour quelque chose dans ce...

– Ce n'est pas lui. Tiens, maman, reprends ton téléphone. Jasper Drooler vient de me vomir dessus ses belles idées racistes. Et il m'a raccroché au nez.

– Je m'y attendais. C'est un faible, et les faibles font d'excellents racistes. Je ne pensais pas que ça arriverait si vite, mais je ne suis guère surprise.

– Daffodil n'est pas comme ça.

– Je sais. Ann non plus. Elles devraient quitter cet homme, il est mauvais. Viens manger, Lachlan. Tu as vu l'heure ?

– Comment peux-tu penser à avaler quoi que ce soit quand je te raconte ces horreurs ?

– Pour affronter les salauds, il faut être fort. Et pour être fort, il faut se nourrir. Garde ton sang-froid, mon fils. Maîtrise ta colère. C'est moi, ta mère, qui te le dis. Rien de bon sur cette terre n'a été accompli sous l'effet des passions mauvaises.

Nous sommes restés longtemps au Captain Ken's. J'ai dévoré mon menu, puis j'en ai commandé un autre. Maman, elle aussi, a plus mangé que d'habitude. Elle a même pris un dessert. Je crois que nous avions besoin de réconfort, car, pour mener nos combats, nous étions seuls.

– Tu devras tout de même te rendre au conseil, pour la petite, a-t-elle dit. Et il faudra la défendre.

– C'est ce que je vais faire. Oui, c'est ce que je vais faire !

Les lettres peintes de la banderole me taraudaient. Et Ogopogo, qui déroulait ses anneaux. Royal, aussi, le géant à la combinaison verte, et son père tatoué. Edward, l'insaisissable.

Et puis la fille aux yeux mauves, que je défendrais de toutes mes forces, même si je n'étais pas absolument certain de son innocence.

– C'est fatigant de ne pas savoir ce qui se passe dans la tête des gens, ai-je lâché, en raclant le fond de mon pot de glace avec ma petite cuiller.

– L'enfer sur terre, ce serait justement de le savoir, Lachlan. Parce que nous avons tous, à un moment ou à un autre, une pensée laide ou cruelle qui nous traverse l'esprit. Ce qui compte, c'est que ce soit momentané. On arrache une mauvaise herbe de sa cervelle, et puis voilà... Les personnes qui posent problème, ce sont celles qui cultivent ces herbes, qui s'en font un jardin. Mais tes mauvaises herbes à toi, même si elles sont rares, tu n'as pas envie qu'on les remarque avant que tu aies eu le temps de t'en débarrasser... Si tu pénétrais au petit bonheur dans les idées et les sentiments de tes interlocuteurs, tu y découvrirais peut-être quelque chose de désagréable, qui, l'instant d'après, aurait déjà disparu.

– Tu as des pensées cruelles ?

– Ah, non, pas moi. Jamais. C'est normal, je suis ta mère.

– Hmmm... tu as des pensées cruelles. Ça ne m'étonne pas. Quand on y réfléchit, tu es tout à fait du genre cruel.

– Oui. Bien. Je t'annonce que le grand psychologue sera au lit dans une demi-heure, alors s'il veut une dernière glace, qu'il parle maintenant, ou qu'il se taise à jamais.

. 27

J'aurais volontiers laissé couler une cataracte d'eau tiède sur ma tête pour me laver de l'incroyable journée, mais mon nouveau pansement, plus encore que la minerve, me l'interdisait. À ce rythme, j'étais bon pour finir bandé comme Ramsès II. Je me suis nettoyé au gant, en réfléchissant à la façon dont j'allais pouvoir récupérer la banderole. Il était grand temps, maman pouvait tomber dessus n'importe quand. Mes gestes étaient rendus malhabiles par l'exténuation, je me suis fourré un coin de tissu-éponge dans l'œil.

Red-faced.

Plus je cogitais, plus j'étais perdu. Il y avait un tas d'individus susceptibles d'avoir déposé cette chose sur notre gazon, mais aucun d'entre eux ne résistait à l'examen. Edward était trop retors pour un acte si primaire, les Rémoras trop à la botte de leur maître, Jasper Drooler trop peureux, et Daffodil, ma chérie, l'exilée d'Ottawa au crâne rasé, la fille aux yeux mauves, n'était certainement pas un individu.

J'ai pris la résolution de ne pas dormir avant d'avoir remis la main sur cette bande de tissu.

Je me suis assis sur mon lit, deux coussins dans le dos. La chaleur n'avait pas diminué, l'Ourse entière était brûlante, chaque rue, chaque maison, chaque bosquet régurgitant le soleil de la journée. Maman est entrée dans ma chambre.

– Tu devrais t'allonger.

– Je suis mieux comme ça.

– Tu n'as pas mal ?

– Je ne sens rien du tout.

– Alors, bonne nuit, mon cœur. Si demain tu ne vas pas bien, tu n'iras pas au collège. Dors vite. Ne te tracasse pas, je suis là.

Sur le pas de la porte, Flower Ikapo la farouche s'est immobilisée, puis, comme à regret, elle m'a demandé :

– Qu'est-ce que tu penses de Simon Sog ?

– Comment ça, qu'est-ce que j'en pense ?

– Non. Rien. Oublie.

Au milieu de la nuit, je me suis réveillé, de guingois sur les coussins trempés. Mes vœux de veille spartiate s'étaient dissous dans la fatigue. J'ai aussitôt pensé à la banderole. Cette fois serait la bonne, et puis j'en étais convaincu, ce tissu allait me fournir des indices qui m'aideraient à résoudre l'imbroglio. Le vieux réveil, que j'avais dû ressortir d'un placard depuis qu'on m'avait volé mon téléphone, affichait trois heures du matin. Par une fente entre les rideaux, j'ai constaté que la lune était à nouveau cachée. Comme il n'était pas question que je me serve d'une lampe, je me suis efforcé de fixer la pénombre pour m'y accoutumer. Quand j'ai jugé que je pourrais me déplacer sans me cogner à chaque obstacle, j'ai escaladé le rebord de la fenêtre.

Les sassafras bruissaient dans la très légère brise qui, pour quelques instants au moins, rafraîchissait enfin Kelowna. Sous mes pieds brûlés, l'herbe était douce et humide. Je me suis accroupi, et j'ai cherché la banderole. Je ne l'ai pas trouvée.

Pendant plusieurs minutes, j'ai palpé le sol. Je m'étais mis à quatre pattes. Est-ce que j'avais bien caché le tissu à cet endroit précis ? J'ai élargi mes recherches, le nez au ras du gazon, jusqu'à ce que je doive me rendre à l'évidence : il n'y avait plus rien à trouver, quelqu'un avait emporté mon précieux indice. J'ai juré, dans le noir. J'ai maudit Ogopogo, le grand serpent, le Méchant du Lac, et ses ensorcellements. Ce monstre régnait sur l'Okanagan, il dictait aux hommes leur conduite infâme. Entre colère et peur, j'avais envie de détruire cet ennemi, mais aussi, comme mes ancêtres avant moi, de lui faire des offrandes.

Dans mon dos, a résonné un claquement métallique. Je me suis retourné si vite que mon cou m'a lancé. Quelqu'un se tenait debout, non loin de moi. Il m'a fallu une seconde de plus pour apercevoir le long canon qui pointait dans ma direction.

– Bouge un orteil et je te fume, enfant de chameau.

– Maman ?

– Lachlan ?

Ma mère a posé son arme sur l'herbe, avant d'allumer une lampe torche qui s'est avérée inutile : la lune s'extrayait des nuages.

– Ce serait trop te demander de m'expliquer ce que tu magouilles à ramper devant la maison, à cette heure-ci ? Tu veux te faire tuer ?

– Mais d'où il sort, ce fusil ? On n'a jamais eu d'arme

à la maison ! Tu as toujours dit que tu étais contre, que...

– C'était avant qu'on essaie de massacrer mon garçon avec des billes d'acier.

– Tu as failli finir le travail...

– Oh, pas cette fois ! Tu ne vas pas retourner la situation à ton avantage ! Je te le redemande, et ne t'aventure pas à inventer de nouvelles salades : qu'est-ce que tu fais ?

– Je cherche une banderole.

– C'est un de vos jeux de rôle ?

– Non. Je l'ai trouvée sur le terrain. Dessus, il y a marqué : *Red-faced*.

Maman a toussé deux fois, comme pour expulser de la poussière.

– *Red-faced* ?

Je me suis levé, j'ai marché vers ma mère, et je l'ai prise dans mes bras. Sa peau avait cette odeur de crème hydratante au calendula qu'elle s'appliquait au coucher.

Nous avons tenu conseil dans la cuisine. J'étais soulagé, en définitive, d'avoir pu lâcher ce secret trop lourd pour moi. J'ai fait du café. Depuis quelques mois, j'étais autorisé à en boire quelques gorgées. Les circonstances particulières confèrent aux lieux que nous connaissons par cœur des allures d'endroits étrangers : je regardais les meubles, les brûleurs de la cuisinière et le réfrigérateur comme si je les voyais pour la première fois. Sur l'émail de l'évier, j'ai aperçu un craquèlement inédit.

– Je vais devoir appeler le sergent Belany pour lui

raconter ça, a dit ma mère. Pourquoi est-ce que tu ne m'en as pas parlé plus tôt ?

Avant que j'aie pu répondre, elle a agité ses longs doigts.

– Je sais pourquoi. Mais tu as des initiatives malheureuses, Lachlan. Ce n'est pas d'un mauvais carnet de notes dont il est question ici.

– C'est juste une banderole minable.

– Si tu pensais ce que tu dis, tu n'aurais pas éprouvé le besoin de me le cacher. Tu sais qu'on a affaire à quelque chose de grave. Tu as une idée de l'auteur de ce... cette plaisanterie ?

– Ce n'est pas Daffodil.

– Je ne l'ai jamais prétendu. Mais je ne peux pas m'empêcher de le remarquer : depuis que tu frayes avec elle, tu cours de catastrophe en catastrophe.

– Le responsable, c'est Ogopogo ! C'est N'ha-a-itk. Nous n'aurions pas dû faire du ski nautique. Il me punit.

– Il y a des milliers de personnes qui font du ski sur ce lac, et il ne leur arrive rien de particulier. Moi, pour commencer, et depuis longtemps.

Le ton de ma mère, pourtant, n'était pas très assuré. Cela m'a donné de l'audace pour continuer :

– Tu es persuadée que le grand serpent existe, tu me crois quand je te dis que je l'ai vu, mais tu ne veux pas reconnaître sa puissance.

– Lachlan, je veux bien admettre que N'ha-a-itk règne sur le lac, mais pas qu'il vienne en douce déposer une banderole raciste sur notre terrain. Ce ne serait pas lui faire beaucoup d'honneur.

– Il influence les gens. Il les fait agir pour lui.

– C'est absurde.

– Tu veux bien croire à la magie, mais il faudrait qu'elle soit raisonnable. Nous ne savons pas de quoi le monstre est capable.

– J'en ai marre, a dit maman.

Sa voix était aiguë, empreinte de toute la lassitude du monde.

– Il vaudrait peut-être mieux ranger ce fusil, ou au moins le décharger, ai-je suggéré.

La vitre de la fenêtre a tinté. Mais le projectile était si rapide qu'il ne l'a pas cassée, il y a juste fait un trou. Quelque chose a frappé le mur, dans mon dos, avec un claquement sourd. Ma mère a plongé sur moi, me jetant à bas de ma chaise. Si elle était mince, son corps avait la dureté du bois. J'ai eu le souffle coupé par notre impact sur le carrelage. Elle a rampé pour me protéger tout entier, faire bouclier. L'os saillant de sa hanche me labourait la cuisse. J'ai voulu le lui dire, mais elle a collé ses doigts contre ma bouche, avec violence. Elle a relevé la tête, dans une attitude que j'avais seulement vue chez certains chiens de chasse, lors de nos promenades d'automne dans les bois.

Une forte odeur de café m'est venue aux narines. Ma mère avait renversé sa tasse sur elle. Je me suis tortillé pour libérer ma cuisse, mais il m'était impossible d'échapper à l'étau. On aurait dit – c'était étrange – que Flower Ikapo avait du plomb dans les muscles.

Narines pincées, le regard fixe, elle attendait. Je ne sais pas combien de temps ça a duré, avant que je sente son étreinte se relâcher.

– N'allume pas, j'ai dit ! Éteins tout de suite cette lumière.

– Mais, maman, on ne risque plus rien, il est parti !

– « Il », hein ? Et c'est qui, ça, « il » ? Qu'est-ce que tu en sais, qu'il n'est plus là, dehors ? Ou qu'ils ne sont pas plusieurs ? Tant que les flics ne sont pas arrivés, tu restes dans le noir. Et, bon sang, Lachlan ! Ça fait douze fois que je te répète de ne pas passer devant la fenêtre !

– Il a fichu le camp depuis au moins vingt minutes, le *sniper*.

– Ça te fait rire ? On vient nous tirer dessus chez nous, et ça t'amuse ?

– Maman, c'est quand même juste un lance-pierre.

– Une bille d'acier qui traverse la vitre de la cuisine, et qui s'enfonce d'un demi-pouce dans le mur, en frôlant ta tête, tu trouves ça drôle ? Tu aimes l'hôpital ? Il y a quelque chose qui ne tourne pas rond chez toi, mon fils.

. 28

Ella Belany accompagnait les deux hommes de patrouille qui ont frappé à notre porte. Il était cinq heures trente du matin.

– Vous commencez tôt, a dit ma mère.

– Disons plutôt que je n'ai pas arrêté, ça fait trente-six heures que je suis debout. Alors ?

– Mon fils m'a avoué qu'il avait trouvé une banderole raciste devant la maison. Je comptais vous appeler aujourd'hui pour vous prévenir, mais entre-temps, on nous a tiré dessus.

– Raciste ? Vous êtes sûre ?

– *Red-faced...*

– C'est ce qui était écrit ? Ça peut signifier « embarrassé »...

– Vous rigolez ?

– C'est peu probable, vous avez raison. Montrez-moi ça.

– Lachlan dit qu'on l'a volée.

– On aurait déposé une banderole raciste chez vous, puis on vous l'aurait reprise, plus tard ? C'est bizarre, non ?

– Et ça, c'est bizarre ? a demandé maman, en entraînant le sergent vers le mur où était enfoncée la bille.

Ella Belany a examiné le trou, puis elle a tourné la tête vers la vitre perforée.

– Ç'a été tiré de près, il faut une grande vélocité pour un tel résultat. Pourquoi dites-vous « avoué », madame Ikapo ?

– Je ne saisis pas.

– Vous venez de me dire que votre fils vous a « avoué » la découverte de cette banderole. C'est la formulation qui me surprend.

– Vous ne pouvez pas vous en empêcher ! C'est maladif ! Vous nous mettez encore en accusation. J'avoue ! Nous cachons une tonne de *ganja* dans la cave, et nos concurrents du cartel mexicain sont venus nous attaquer. Au lance-pierre.

– Une bille de ce genre vous tue un homme à cent pas.

Les deux agents en uniforme tournaient sans but apparent dans la cuisine et le couloir. L'un d'entre eux était gros, presque obèse. L'autre avait une cicatrice violine qui tournait en spirale sur le dos de sa main. Je me suis demandé ce qui avait pu provoquer une telle blessure.

– C'est pour ça, sergent, a dit ma mère, que je vous demande de vous concentrer sur l'extérieur. Sur l'agresseur. Plutôt que de chercher à découvrir toutes nos turpitudes imaginaires.

– On nous apprend à travailler de cette manière, madame Ikapo. La plupart du temps, ça donne de très bons résultats.

– Et s'ils revenaient ? Si on s'attaquait à nouveau à Lachlan ?

– Nous ne pouvons pas vous laisser un homme, madame. Nous sommes débordés. Ce qui pourrait se faire, en revanche, c'est placer momentanément votre fils dans un foyer d'État, où il...

– Non. Il n'ira nulle part sans moi.

Le sergent Belany a secoué une de ses jambes, dans un geste raide et saccadé, comme si elle avait des fourmis dans le pantalon. Puis, claquant des doigts pour attirer son attention, elle s'est adressée au gros policier :

– Mike ! Photographie la fenêtre, le trou dans le mur, et sors-moi cette bille de là. Je complète ma collection. Et toi, Sincere, va jeter un œil là-bas, dehors, là, dans cette ligne à peu près. Préviens-moi si tu trouves des traces de pas, un mégot, un papier de bonbon, n'importe quoi.

– Sincere ? ai-je demandé.

– Dans la police, nous avons de jolis prénoms, a répondu le sergent Belany.

Considérant sa tête de joueuse de poker, je n'ai pas su si elle plaisantait.

– Ce serait mieux si tu n'allais pas au collège. Mais il est hors de question que tu restes seul ici. Tu n'as qu'à venir avec moi à l'atelier.

Allant et venant dans l'entrée, maman se coiffait à grands coups de brosse. Elle n'avait rien pu avaler d'autre que le café qu'elle avait fait pour les policiers, et bu avec eux. Ils étaient repartis bredouilles, les deux hommes indifférents et distants, occupés à d'autres pensées, Ella Belany tapant de la pointe de son stylet sur une petite tablette, prenant à peine le temps de nous dire au revoir.

– Je ne risque rien en classe. Et puis c'est bientôt le conseil de discipline de Daffodil. Je ne dois pas me mettre en faute par rapport à la direction. J'ai déjà séché une après-midi, maintenant je veux être exemplaire.

– Lachlan, je ne sais pas...

– C'est difficile de trouver un endroit plus surveillé qu'un collège. À part la Canadian Trust des Drooler, ou une prison d'État...

– Ton nez, c'est bien là-bas que tu te l'es fait casser, non ?

– Daffodil n'y sera pas, si ça peut te rassurer. Je n'ai pas non plus envie de me faire chambrer toute la journée par Fenella, à ton atelier. Je préférerais encore une fracture du crâne.

– Tu ne mettras pas un pied hors de l'établissement sans que je sois là ? Promis ? Viens un peu là que je t'arrange, tu as les cheveux dans tous les sens. Laisse-toi faire ! Mange encore un pain au lait. Si, mange-le.

Quand on a vécu mille péripéties, on croit que ça va se voir, alors que pour les autres on reste le même. Les bouleversements ne laissent pas forcément des traces apparentes. Je m'attendais à des regards curieux lorsque je me suis mêlé à la foule de l'entrée du collège, mais je suis passé inaperçu. Seul Edward, en arrivant, m'a accordé un instant d'attention, pour me faire, des pouces et des auriculaires tendus, le geste *cool* du surfeur.

J'ai encore changé d'avis. Si c'était lui, malgré tout ?

Au milieu des visages rougis et bronzés par l'été, tranchait la pâleur de Rayford, véritable vampire.

Owyn secouait la tête au rythme des écouteurs de son MP3. Je n'avais pas besoin de me rapprocher pour savoir que c'était du Wolfmother, le son poussé au maximum. On lui avait déjà dit qu'il deviendrait sourd, il rétorquait que ça lui était égal.

Farren reniflait. Il ne tremblait pas, un vague sourire plissait le coin de ses lèvres. Ce devait être un de ses bons jours. Quelle dégaine incroyable il avait, avec ses oreilles de renard !

S'apercevant que je le fixais, il a cligné de l'œil.

Quand des gens passent, pendant des années, une grande partie de leur vie ensemble, il y a souvent une uniformité qui se crée. À tout le moins, des points de ressemblance. Pourtant Edward, Farren, Rayford et Owyn étaient comme des pions de différents jeux de société. Ils n'avaient véritablement rien en commun. Moi aussi, j'étais autre, ne serait-ce qu'à cause de ma fameuse peau rouge. Ce qui nous avait unis, et unissait encore Edward et les Rémoras, était indéfinissable. J'ai pensé que faire le mal ensemble avait tissé entre nous des liens plus solides que si nous avions accompli de belles choses. Des liens hideux, mais des liens tout de même.

Et si j'avais trouvé la force de quitter le groupe, ce n'était pas suffisant à m'assurer une émancipation complète.

Edward demeurerait inchangé, parce qu'il se plaisait à être ce qu'il était, et que, n'en déplaise à la morale, les méchants ne sont pas toujours malheureux. Une des plus grandes erreurs à commettre devant lui était de faire appel à ses bons sentiments, en s'imaginant que tout le monde trouve son accomplissement dans la prévenance et la bonté. Le tueur de chiens, pour peu qu'on veuille l'entendre, ne dissimulait rien à ce propos : on était jamais gentil, selon lui, que parce qu'on ne trouvait pas en soi les ressources pour combattre. On montrait une face aimable en espérant recevoir la monnaie de sa couardise. La noblesse, pour Edward Sink, résidait dans la reconnaissance de cet état de fait, qui était que rien n'était vrai, sauf la guerre qu'on menait aux autres. Où avait-il pu aller chercher cette philosophie, lui qui avait été élevé par des parents si attentionnés ? Je ne me rappelais pas avoir entendu, une seule fois en quatorze ans, Betsy ou Liam élever la voix contre leur fils. Ils ne cancanaient pas, ils offraient à la clientèle des sourires francs, une humeur égale. On se fournissait chez eux pour leur bon poisson, et pour le plaisir de leur conversation. Si les chalands avaient connu l'étendue des désastres provoqués par le fils des poissonniers, je ne doute pas qu'ils les auraient plaints de tout leur cœur. Non, Edward ne s'amenderait pas. Assis sur une chaise électrique, sommé de reconnaître ses erreurs, il aurait craché à la face du monde.

Pour des raisons bien différentes, je ne voyais pas non plus Owyn bouger. La seule idée de se retrouver livré à lui-même le terrorisait. Lorsqu'il partait en vacances avec sa famille pendant une seule petite semaine, il en revenait perdu, affolé presque, et se ruait vers nous. Il bousculait chacun de son corps épais – sauf Edward, qu'il ne touchait jamais –, il donnait des bourrades, c'était sa façon de manifester son attachement. Comme on ne s'intéressait pas vraiment à lui, il en remettait, jusqu'à ce qu'Edward lui jette un mot, qu'il gobait comme un sucre.

Rayford le fanatique avait besoin d'un chef, il se l'était trouvé, et il lui aurait fallu rencontrer un meneur plus charismatique qu'Edward pour changer de monture. Lui aurait été capable de déposer cette banderole chez nous, sans aucun état d'âme, et il n'aurait pas hésité à me tirer des billes d'acier dans la tête, mais jamais il n'aurait pris seul cette initiative. Il n'était qu'obéissance.

Seul Farren, dans la bande, était apte à s'enfuir. Il y avait en lui quelque chose d'une flamme qui ne voulait pas s'éteindre, malgré la colle, malgré tout. Son clin d'œil m'a bouleversé, rappel d'images anciennes. Le jour anniversaire de ses huit ans, il m'avait entretenu longuement du problème de ses oreilles poilues : à l'époque, un duvet châtain commençait déjà à recouvrir les pavillons, qui partaient en pointe comme pour une esquisse d'oreilles d'elfe.

– J'ai l'air d'un con mais y a pas le choix, m'avait-il dit, plus sérieux qu'un notaire. Mes parents ne veulent pas que j'utilise un rasoir, et ma mère refuse aussi que j'utilise sa crème dépilatoire. La vie, ça craint.

– Ou tu mets un bonnet, avais-je suggéré.

– J'y ai pensé. Ou des écouteurs. Des gros écouteurs.

Quatre ans plus tard, c'était encore moi qu'il était venu trouver pour me parler de Kristina, supportrice de l'équipe de hockey du collège. Il avait déjà plongé dans la colle, il devenait halluciné, et ses agissements déroutants me déconcertaient.

– J'ai une chance, hein, j'ai une bonne chance avec elle, Lachlan ?

Cette fille avait deux ans de plus que nous, et elle sortait avec des garçons plus âgés qu'elle, tous des hockeyeurs massifs, déjà marqués par les coups. Farren devait peser trente-cinq kilos. Sur les pavillons, le poil avait remplacé le duvet.

– Non. Tu n'as pas une chance avec elle. Tu perds ton temps.

Je le pensais. Je croyais lui rendre service en lui disant ma vérité. Mais une semaine après cela, j'avais rencontré dans la rue le garçon aux oreilles de renard qui tenait par les hanches une Kristina souriante. Tel était le pouvoir de Farren, et telle aurait été sa vie, si l'addiction ne l'avait tenu sous sa coupe.

. 29

Daffodil n'était plus au collège, et à cause de cela je me retrouvais dans la situation d'autrefois, celle où je ne quittais jamais Edward et les autres. Qu'était-ce, quelques mois, en regard d'une vie presque entière passée avec mes anciens amis ? L'épisode avec la fille aux yeux mauves n'était qu'une parenthèse, je n'avais qu'à revenir chez les miens, c'était facile. Mais le souvenir des mains de Daffodil sur ma nuque était vivace. Je m'en suis servi comme d'un talisman, à l'effet souverain pour repousser mes envies de défaite. Quand je suis entré en cours, je m'étais affermi. C'en était bien fini de l'ancien Lachlan. Adieu aux miasmes, j'étais purifié.

À l'interclasse, pourtant, mes pas m'ont conduit vers Edward et les Rémoras. Je ne me suis pas mêlé à eux, mais je restais en périphérie du groupe, satellite hésitant, honteux de mon insuffisance et de mes velléités déloyales. Tu dégoûterais Daffodil, me disais-je, et je ne bougeais pas, restant à proximité de ceux dont je pouvais flairer les humeurs. L'appartenance à la meute m'avait, autrefois, tellement donné l'illusion d'une force. Dans le reflet d'un placard métallique du couloir, je me suis vu, soudain, couvert de pansements, guindé dans ma minerve, boudeur. Dans un sursaut, enfin, j'ai trouvé le cran de m'éloigner. Owyn a dit quelque chose, qui m'était sans doute destiné, mais je ne l'ai pas entendu.

Ma mère m'attendait à la sortie des cours, adossée à la voiture, pouces glissés dans les passants de son jean. Les quelques parents qui étaient eux aussi venus chercher leur progéniture prétendaient l'ignorer, mais on la détaillait à la dérobée. Il émanait d'elle beaucoup de puissance, un côté voyou également, une effronterie, presque une colère. Elle défiait le monde de s'en prendre à son fils.

– Ça va, la tête ?

– Ça va, maman. Allons-y.

Edward et les Rémoras sont passés près de nous. Ma mère les a suivis du regard, avant de me répondre :

– On ne t'a rien fait ? On ne t'a rien dit ?

Ses griffes rétractiles ne demandaient qu'à jaillir. Elle suppliait que je lui désigne un adversaire à tailler en pièces, mais on m'avait juste ignoré, mis à l'écart, et ce n'était rien de plus que ce que je subissais chaque jour depuis que j'avais choisi le camp de la fille aux yeux mauves. Je suis monté dans la voiture. J'avais besoin de m'éloigner du collège, parce que j'avais failli y flancher, au matin, comme si ses murs familiers avaient encouragé mon retour aux anciennes habitudes.

– Je voudrais marcher au bord du lac, ai-je dit à maman tandis qu'elle se glissait derrière le volant.

– Moi, je boirais bien une bière fraîche. D'accord,

je passe par le *Sobeys*, on achète un pack pour moi, de la limonade pour toi, et ensuite on va au lac.

– Je peux te prendre une bière...

– À quatorze ans ? Et c'est à moi que tu le demandes ? Mon pauvre ami, tu es d'une naïveté touchante.

– Je pourrais aussi en boire dans ton dos.

– Heureusement que ce n'est pas du tout ton genre, Lachlan, les cachotteries et les mensonges...

Qu'est-ce que Flower Ikapo, ma mère, savait précisément de ce que j'avais fait au cours des années passées ? Elle soufflait le chaud et le froid. Il était impossible qu'elle connaisse le plus grave, car jamais elle ne m'aurait laissé faire. J'étais frappé d'une crainte sacrée à l'idée de la sentence sans appel qu'elle aurait prononcée contre moi. Si je supportais mal le mépris que j'avais de moi-même, j'aurais été écrasé par celui de maman.

Après le crochet par le *Sobeys*, nous avons roulé longtemps, traversant le pont flottant et remontant au-dessus de Fintry, pour essayer de trouver un coin du lac où il n'y avait pas foule. Sur la route, un groupe de pick-up chargés de kayaks multicolores nous a croisés. Un des véhicules était celui de ma tante par alliance, qui tenait une boutique de réparation de canoës et de kayaks avec son mari, un des frères de ma mère. Celui-là même qui avait frappé son casque jaune avec tant de mâle énergie, devant un neveu qu'il ne connaissait que de vue.

Ce jeu de cache-cache inepte me devenait de plus en plus pénible. Quel était le prénom de cette tante ? Je l'avais oublié, mais j'avais pour devoir de me rappeler ses traits, afin de ne pas accidentellement sympathiser.

Maman, que j'ai dévisagée, fixait le ruban noir de la route avec une attention juste assez exagérée pour que je sache qu'elle avait reconnu l'ennemi.

Quand j'ai entendu l'explosion, j'ai cru que, cette fois, on m'avait tiré dessus avec une arme à feu. Les muscles de mon cou se sont tendus si brutalement que j'en ai senti les attaches sous la mâchoire, aux clavicules et derrière les oreilles.

« Ça y est. Je suis mort. »

C'était fatal, j'avais été prévenu, le Méchant du Lac m'emportait avec lui dans son monde d'huile rouge.

La voiture a fait une embardée. Ma mère a tourné le volant dans un sens, puis dans l'autre immédiatement. Elle a lancé une courte phrase hargneuse en colville-okanagan. Nous nous sommes retrouvés de travers, nous avons commencé à basculer, et cela aurait signifié une longue suite de tonneaux meurtriers, mais ma mère, avec un grognement sourd, a écrasé la pédale de l'accélérateur, en braquant à toute force. Nous nous sommes remis d'aplomb, mais, emportés par la vitesse, nous avons foncé droit sur un pin douglas. Je ne sais comment nous avons pu le contourner avec une direction qui ne répondait quasiment plus, mais nous l'avons frôlé, nous enfonçant dans le bois qui jouxtait l'asphalte. Des arbrisseaux ont ralenti la course de la voiture, et lorsque le pare-chocs a rencontré un tronc de bouleau, le choc a été léger.

– Et là, rien ? Tu sens mes doigts ? Et là ?

Maman me palpait comme un maquignon qui inspecte un cheval. Elle n'était pas fébrile, mais méthodique.

– Et ici ? Il faudra peut-être t'emmener à l'hôpital, pour...

– Ah, non, hein ! Marre de l'hôpital ! Je n'ai rien ! Rien du tout !

– Allonge-toi.

– Non. Appelle plutôt un dépanneur.

Le pneu avant gauche de notre voiture avait éclaté. C'était ce bruit qui m'avait fait croire à un coup de feu. Quand elle était allée la chercher dans le coffre, ma mère s'était rendu compte que la roue de secours était dégonflée. De toute façon, même si la carrosserie semblait à peu près intacte, les essieux et les jantes en état correct, nous étions trop enfoncés dans le sous-bois pour espérer nous en sortir sans être tractés par un autre véhicule.

– Ça va nous coûter la peau des fesses. En plus, ces temps-ci, j'ai perdu des heures à l'atelier. Nous ne pouvons pas nous le permettre, fils.

– Qu'est-ce qu'on fait ? On dort ici ? Tu n'as qu'à demander à Fenella. Elle, elle viendra.

– Le patron va la sacquer. C'est la contremaîtresse, elle ne peut pas ficher le camp comme ça.

– Parfait. Je te propose donc de vivre ici, dans les bois. On pourra chasser, ramasser des champignons, et quand l'hiver viendra, on s'abritera dans la voiture sur des peaux de caribou, en écoutant l'autoradio...

– J'appelle Simon.

– Simon ? Simon qui ?

– Sog.

J'en suis resté baba.

. 30

L'homme aux étoiles conduisait une Nissan Patrol aux flancs rouillés. Il nous a fait de joyeux appels de phares avant de se garer en souplesse au bord de la route, là où nous nous tenions, maman et moi. À l'arrière du gros 4×4, Royal jouait avec un ballon de plage jaune vif.

Comment était-ce possible? Comment Flower Ikapo la farouche pouvait-elle agir de cette manière? Nous n'avions vu les Sog qu'une fois, et pour leur rapporter un vêtement que je leur avais volé, ce qui ne me mettait pas à mon avantage.

J'avais essayé de dissuader ma mère de ce coup de téléphone funeste, cherchant hâtivement une autre personne qui aurait pu nous dépanner, mais elle s'était entêtée. Elle en tenait pour Simon le tatoué. Je commençais à pressentir que l'accident n'était en définitive qu'un prétexte sur lequel elle avait sauté. Ne s'était-elle pas laissée aller à dormir pendant le fameux massage? Maman aussi subissait l'influence du grand serpent. Comment expliquer autrement ce qui se produisait? Elle ne s'était jamais souciée des hommes. Quand ces questions venaient sur le tapis au cours de la conversation, à l'atelier – Fenella et les autres adoraient en parler –, elle s'enfermait dans un mutisme morose.

Un fils n'a pas de recul pour mesurer ces choses-là, mais ma mère devait être très jolie, parce qu'elle retenait l'attention masculine : des garçons de mon âge interrompaient un bref instant leur chahut pour la regarder passer, des vieux messieurs lui tenaient la porte à la sortie des magasins, juste un peu trop longtemps pour que ce soit tout à fait honnête. Mais chacun d'entre eux – même des gars dans la force de l'âge, débordant d'assurance – finissait par se détourner, car Flower Ikapo était trop intimidante. Elle ne laissait même pas la place à une ébauche de badinage. Elle avait quelque chose d'un piège à ours tendu, ce qui incitait à beaucoup de prudence.

– Simon ! Je suis contente que vous ayez pu venir ! C'est si gentil à vous.

– Je suis, madame, votre serviteur.

Il y avait assez de sucre dans tout ça pour filer des kilos de barbe à papa. Afin de faire bonne mesure, le Casanova tatoué aurait pu apporter un bouquet de roses. Au lieu de ça, il a sauté de son 4 × 4, et il est allé chercher dans le coffre une large sangle, ainsi qu'une roue adaptée à notre voiture.

– Je l'ai trouvée à la casse. La jante est en bon état, le pneu un peu usé, mais ça tiendra plusieurs jours. J'ai effectué le gonflage moi-même. Royal ! Sors de là ! Quand il est dans le Nissan, il ne veut plus en descendre. Il dit que c'est son trône. Pas vrai, Royal ?

– Je viendrai si je l'aurais voulu, manant !

– Qu'est-ce que je vous disais ?

Ma mère a tendu la main. Simon Sog a laissé tomber la sangle et la roue, il s'est essuyé contre son pantalon, et il a enserré les longs doigts bruns entre les siens, qui étaient plus courts, plus larges, et blancs.

– Je suis contente, a répété maman.

L'homme d'Orion a ramassé la roue en pliant les genoux, le dos droit comme un I. Il avait, je dois le dire, de la prestance, une espèce d'accomplissement physique qui lui était particulier, rendant ses mouvements agréables à regarder.

La porte arrière du 4×4 s'est ouverte, et Royal a déplié sa carcasse gigantesque.

– Telle est ma volonté de venir voir mon peuple, a-t-il dit.

Il s'est pris les pieds dans une motte, il a vacillé. Mais déjà son père était sur lui, pour le soutenir. Ma mère avait eu le même élan. Ils se sont bousculés tous les trois.

Et moi, je les ai juste observés, comme de très loin.

Le plus difficile a été de changer la roue dans la terre meuble du sous-bois, qui s'enfonçait sous le cric. Mais une fois que ç'a été fait, le Nissan Patrol nous a dégagés d'une seule traction puissante. Simon Sog s'est glissé sous le bas de caisse pour vérifier l'état de la voiture. J'étais si dépité de mon inutilité que je l'y ai rejoint, agissant comme si, vraiment, j'avais pu faire la différence en matière de mécanique.

L'épaule de l'homme aux étoiles frottait contre la mienne. J'ai senti son haleine aussi, une forte odeur de chewing-gum à la menthe.

– Nous n'avons pas besoin de vous.

C'était un bien mauvais endroit pour une telle déclaration, seulement c'était sorti, je ne pouvais pas reprendre mes mots. Simon Sog a continué à laisser courir ses doigts le long d'une Durit. Son souffle ne s'est pas altéré. Quand il a eu fini son examen, il a finalement rétorqué, la voix aussi basse que la mienne :

– Ne dis pas « nous ». Dis « je ». Ne parle pas pour ta mère.

Il s'est extrait de sous le bas de caisse avec autant de facilité que si on l'en avait tiré par les chevilles. J'aurais voulu hurler : « Il y a deux jours, nous ne nous connaissions pas ! »

Quand je me suis remis debout, Paul Sog, alias Royal le géant, m'a jeté le ballon jaune, que j'ai reçu en plein nez.

– Jouez avec votre sire, manant ! C'est comme qui dirait mon bon plaisir !

« Le mieux, mon vieux Lachlan, me suis-je dit en m'appuyant sur les sinus pour tenter d'atténuer la douleur, c'est de rentrer à la maison, de te coucher, et de dormir deux ou trois ans, le temps que tout redevienne normal. »

– Nous allions nous promener près du lac. Ça vous tente de nous accompagner ? a demandé maman.

Royal a armé son bras pour un nouveau tir de ballon de plage. Personne ne s'est interposé afin de me protéger. J'ai caché ma figure dans le creux de mon coude, en émettant une plainte de fureur impuissante. Le masseur diplômé a dit :

– Flower, rien ne pourrait me faire plus plaisir.

Je me devais d'intervenir, c'était trop scandaleux.

– Il y aura des tas de moustiques, à cette heure-ci. Vous détestez les moustiques, si je me souviens bien.

– Lachlan, mon ami, il est certaines compagnies qui font paraître doux les plus terribles des supplices.

Je n'allais pas l'avoir comme ça. Le tatoué retournait mes armes contre moi, il était plus rusé qu'un furet. Mais j'ai relâché mon attention, et c'est ce moment que le géant a choisi pour m'envoyer le ballon jaune, qui s'est écrasé sur mon front avec la douceur du jab de Daffodil Drooler.

Simon Sog et maman marchaient devant Royal et moi. Les graviers de la plage crissaient sous leurs pas lents, presque cérémonieux. Ils discutaient à mi-voix, tête penchée, recueillant leurs confidences mutuelles. Leurs façons les mettaient un peu à l'écart, elles leur assuraient une bulle invisible qui les isolait du monde. Je n'ai pu faire autrement que d'y reconnaître ce que la fille aux yeux mauves et moi ressentions, ce qui devait émaner de nous. Il y avait un nom pour cette chose, mais ça, non, je ne risquais pas de le prononcer.

Pour la quatrième fois, le ballon de plastique jaune m'a frappé. J'ai réussi à le ramasser avant Royal, et j'entretenais de méphistophéliques projets de crevaison, quand j'ai entendu le tonnerre. J'ai tourné la tête. Derrière nous, des nuages bleu nuit s'étaient amoncelés, pesants, qui avançaient au ralenti, mais gagnaient sur nous.

Les orages sur l'Okanagan peuvent être violents et très dangereux. Les eaux attirent la foudre, et depuis des kilomètres alentour, on voit les éclairs frapper la surface, dessinant des toiles d'araignée lumineuses, aveuglantes et multicolores. Le père de Ken Dunbar, notre délégué de classe, avait été foudroyé pendant une partie de pêche, à quelques mètres du rivage. Il n'était pas mort, mais la décharge électrique avait pénétré par le dessus de son pectoral droit, elle s'était frayé un chemin dans le corps, avant de ressortir par la plante du pied gauche. Cela avait laissé de petites marques rondes, noirâtres, que M. Dunbar exhibait avec une fierté inquiète, parce qu'il n'en reviendrait jamais complètement. Dans sa lubie, la foudre avait décidé de ne pas brûler les organes vitaux. L'*Okanagan Life Magazine* avait parlé de miracle. M. Dunbar regardait autrement ce qui lui était arrivé.

– Je suis une souris qui a servi de jouet au chat, et qui lui a échappé, avait-il expliqué à ma mère. Mais le chat est toujours là, il peut me remettre la patte dessus.

Peut-être qu'on comprend mieux sa fragilité quand on a été frappé par le feu du ciel. Sans doute a-t-on du mal à vivre avec.

– Orage !

Ce seul cri, pensais-je, sonnerait le ralliement et le retour aux voitures. Mais maman a paresseusement jeté la main par-dessus son épaule, avec un je-m'en-foutisme choquant. J'ai commis l'erreur de lâcher le ballon. Royal a fondu dessus, et il ne l'a pas gardé longtemps. C'est mon oreille qui a pris.

. 31

Les gens dotés d'un minimum de raison s'étaient esquivés depuis longtemps, et nous étions restés seuls sur cette plage, que je connaissais mal. C'était assez éloigné de chez nous, d'ici on ne pouvait plus voir Kelowna. Si la pluie tardait, déjà on sentait une odeur de vase.

Royal a battu des mains.

– C'est bientôt la fête à la grenouille!

– Oui, et aussi la fête aux andouilles.

Ça lui a énormément plu.

– Je vous fais mon écuyer! a-t-il dit.

En guise d'adoubement, il m'a encore cogné la tête, en tenant le ballon à deux mains. J'en aurais sangloté. Je ne pouvais même pas me disputer avec ce garçon. Il était trop fort, et bien trop gentil. Il allait me tuer sans le faire exprès.

– Oh! Désolé! Si j'aurais su que je t'aurais fait autant mal, je l'aurais pas fait.

– Ça va, Royal.

– Toi, je t'aime bien. Papa, il dit...

La phrase de Paul Sog, le bon géant frappeur, s'est

perdue dans le fracas du tonnerre. Devant nous, ma mère a levé la tête et désigné les nuages noirs. J'ai cru que ce serait le signal du retour aux voitures, mais non, le tatoué et elle ont persisté à marcher au rythme de la promenade bucolique. C'était aussi prudent et raisonné qu'un pique-nique sur la voie de gauche de l'autoroute.

– J'ai reçu une goutte, a dit Royal.

Je n'allais tout de même pas rester sans rien faire, attendre passivement le déluge, ou l'éclair qui me transformerait en petit morceau de charbon fumant.

– Je rentre à la voiture.

Mais c'était maman qui avait la clé, et je répugnais à interrompre le tête-à-tête entre elle et le masseur diplômé. Je ne voulais même pas m'approcher d'eux. Ce qui se passait me décontenançait, ma mère semblait transgresser ses propres principes, elle qui n'en déviait jamais. Elle sortait de son orbite, attirée par la gravitation des étoiles de Simon Sog, et moi, météore misérable et sans masse, invisible dans l'espace infini, j'allais rester seul à divaguer.

Daffodil. Daffodil !

C'était elle le remède. Le besoin de sa présence a été soudain si impérieux que j'ai vu la fille aux yeux mauves, je l'ai vue, réellement, accroupie comme elle l'était parfois au bord du lac ou dans la nature – jamais au collège –, dans une position enfantine et féminine, ses coudes reposant sur ses fins genoux. L'image tournait doucement sur son axe, à la façon d'un hologramme, me révélant l'ossature délicate, les muscles affleurant la peau opaline. Dans ce mirage, Daffodil avait encore ses cheveux et ses sourcils. Elle parlait, et si je n'entendais pas le sens de son discours, il me faisait du bien. J'ai appréhendé, à ce moment précis, sur cette plage que menaçait la foudre, la profondeur de mes sentiments. J'ai été happé, corps et âme. Alors, je me suis réengagé. J'ai secoué, une fois de plus, la lourde poussière des années passées en mauvaise compagnie. Et j'ai cru que cette guerre, dont je ne voyais pas la fin, était gagnée pour de bon.

La pluie d'orage était timide. Elle aussi paraissait vouloir épargner la longue conversation menée par Simon et maman. Je ne m'étonnais plus de ces dérèglements, puisque tout, depuis des jours maintenant, s'obstinait à marcher de travers. Les précipitations d'été dans la vallée de l'Okanagan n'avaient jamais été de fines bruines romantiques, mais pourquoi pas, aujourd'hui ? Pourquoi le temps ne se serait-il pas mis au diapason de cette grande extravagance, qui voyait mon monde changer ?

– Moi aussi, je suis amoureux, a dit Royal.

J'ai cru que j'avais mal saisi, que j'avais reconstruit ses mots dans le sens de mes préoccupations immédiates. J'ai examiné le garçon géant. Il portait sous son bras le gros ballon de plage, et de sa main libre il dessinait dans le vide des arabesques, comme s'il promenait une des mouches de son père.

Est-ce qu'il était télépathe ? Avais-je parlé à Daffodil, à intelligible voix, sans même m'en rendre compte ?

– Elle est très belle. Mais elle est plus vieille que moi.

Royal a hésité devant les graves conséquences de la confidence, puis il a repris :

– C'est la maîtresse.

Avec la ponctualité et l'à-propos d'un effet sonore de *telenovela*, un éclair vert a frappé le lac dans un claquement sec, pour dramatiser cette révélation.

– La maîtresse?

– Ma maîtresse. Mme Doyle.

– Tiens donc. Elle est jolie, Mme Doyle?

– Oui. Même si elle est vieille. Elle a au moins, euh... euh... dix ans de plus que moi. Ou alors vingt. Ou trente. Elle est toute petite, elle a une grosse tête, ses cheveux sont comme ça et comme ça, dans ce sens-là et dans l'autre sens, et, ah oui, elle a des gros yeux, aussi. Et un gros nez.

– Effectivement, elle a l'air d'une vraie beauté.

– Une beauté... une belle beauté.

– Mais à cause de la différence d'âge, votre amour est impossible...

– Papa dit que je dois l'aimer en secret, sans lui dire. C'est parce que, tu sais, Lachlan, il m'a expliqué que c'est plus beau, les amours secrets.

Excellente idée, trouvais-je. Si excellente que le tatoué aurait été bien inspiré de se l'appliquer à lui-même.

– Tu ne m'appelles plus « manant », Royal?

– Non, vu que là, je ne joue plus. L'amour, c'est sérieux.

– C'est ton papa qui te l'a dit.

– Comment tu le sais? En tout cas, moi, je le crois.

– Royal... pourquoi est-ce que tu m'as dit « moi aussi, je suis amoureux »? Pourquoi « moi aussi »?

– Ben, pff! T'es bête!

Royal a donné un coup de menton en direction de

nos parents. Même lui, alors, se rendait compte de ce qui se passait.

La perspective de devenir le demi-frère du géant vert m'a fait frémir. Si un sort regrettable nous confinait, Gulliver et moi, sous le même toit, le tireur de billes d'acier pouvait prendre sa retraite: je finirais écrabouillé, gentiment écrabouillé, pour le divertissement de Son Altesse Paul Sog, pendant que Flower Ikapo, mère indigne, se ferait masser en ronflant.

Quant à cette Mme Doyle, elle devait certainement faire des pompes et se gaver de vitamines, pour affronter tous les jours des élèves de ce calibre.

. 32

Si les plages du lac Okanagan avaient eu les dimensions de celles de la Basse-Californie, nous serions encore en train de marcher. Mais, de gros rochers bouchant le passage, nous avons vu le bout de la promenade. À regret, nos parents ont rebroussé chemin. L'orage ne se décidait pas à livrer toute sa puissance. Il rôdait autour de nous, l'air vibrait, les effluves odoriférants de la vase avaient repris leurs droits sur la pluie et s'élevaient des eaux.

Simon Sog s'est arraché à ma mère, une brève minute, pour échanger avec son fils quelques lancers de ballon. Mais le cœur n'y était pas, et il est vite retourné près de celle qui l'accaparait, après m'avoir passé le relais, silencieusement.

Je ne pouvais pas lui dire que je m'en moquais, de son enfant, que c'était à lui de s'en occuper, parce que je n'étais pas sûr de le penser. J'étais égoïste, mais je voyais bien qu'il avait droit à un répit.

Ce n'était pas comme si je ne l'avais jamais vu, comme s'il n'avait été pour moi que le vague espoir, sans cesse déçu, qu'entretenaient tous les enfants de la vallée de l'Okanagan : il s'était déjà montré à moi. Mais lorsqu'il a surgi des eaux, ç'a été comme une première fois, une expérience nouvelle.

Il était beaucoup plus grand que dans mon souvenir. Et comme, cette fois, j'en étais proche, j'ai pu observer, sur les écailles de son cou – de la partie de son corps la plus proche de sa tête, parce que le monstre n'avait pas précisément de cou –, de petits coquillages incrustés, et des algues effilochées, qui dégouttaient comme des cheveux mouillés. Cela évoquait les vieux bateaux de bois qu'on met en cale sèche, et dont il faut racler la coque. Le grand serpent était une bête ancienne, qui avait attiré sur ses flancs le petit monde des parasites lacustres.

Si j'ai considéré d'abord son corps, et non sa tête, c'est que j'étais frappé d'un tel effroi que pour rien au monde je n'aurais levé les yeux. Il me surplombait d'au moins trois ou quatre mètres, et on voyait bien que cette partie émergée ne représentait qu'une infime partie de l'animal. Il était rouge. Toujours aussi rouge. N'était-ce qu'un effet du soleil couchant, qui, à nouveau, éclairait son apparition ? Peut-être simplement parce que le temps était aux nuages et que les rayons ne filtraient qu'à peine à travers eux, ce rouge avait une teinte plus sombre qu'au jour du ski nautique. Les écailles étaient aussi larges que des assiettes, et leur bord curieusement effrangé, avec un liséré blanchâtre qu'on trouve aux nageoires de certains poissons d'aquarium. Mais ce qui m'a le plus impressionné, et inspiré une stupeur glacée, était le lent mouvement de ces mêmes écailles, qui frottaient les unes sur les autres dans un chuintement écœurant : le lait bouillant qui s'échappe de la casserole pour déborder sur les flancs brûlants, la plaque de cuisson. Il n'y avait pas de vacarme là-dedans, rien de tonitruant ni de spectaculaire. Cela provoquait un dégoût insidieux, une nausée de mal de mer. Alternativement, à l'endroit qui s'offrait à mon observation, le corps enflait et désenflait, sous l'effet de la respiration, j'imagine, mais je ne saurais l'affirmer, puisque cet être ne ressemblait à rien de ce que je connaissais. Les cobras ouvrent leur capuchon pour menacer ; les lézards du désert, leur collerette. Les chiens eux-mêmes, et les chats, hérissent leur poil. N'ha-a-itk le grand serpent n'avait pas besoin de cela pour nous intimider. Et même si, en un éclair, je lui avais trouvé des points communs avec certaines bêtes – nous ne pouvons nous référer qu'à notre expérience, pour comparer –, je ne saurais dire que le Méchant du Lac était un animal, et seulement cela. Cette distance inséparable qui marque la différence entre notre espèce et les autres, je ne la retrouvais pas ici.

J'ai tendu les mains derrière moi, à l'aveugle, comme on le fait quand on s'appuie sur un meuble ou le capot d'une voiture, avant de s'asseoir. Je m'oubliais : nous étions sur la plage, il n'y avait rien dans mon dos que le vide. J'ai failli tomber.

Au loin sur le lac, il y a eu une éclaboussure. Des carnassiers qui chassent, m'a soufflé mon cerveau façonné par la fréquentation des eaux. Mais, presque immédiatement, j'ai compris que les poissons ne s'aventureraient pas aux alentours du grand serpent. C'était sa queue, l'extrémité du corps du monstre, qui s'agitait là-bas dans un remous écumant. Sous mes côtes, au flanc droit, la crainte a frappé un coup. Je me suis plié sous l'effet de la douleur. Chez certains peuples, le foie est l'organe du courage. Je cherchais mon souffle lorsque la tête monumentale s'est penchée au-dessus de moi. Jusqu'à ce qu'elle se trouve à ma hauteur.

Les écailles s'assombrissaient à mesure qu'elles montaient vers la gueule stupéfiante du monstre, puis elles s'éclaircissaient en arrivant à ce qu'à défaut d'autre chose j'appellerai le front. Les deux cornes qui se dressaient au sommet de cette tête titanesque paraissaient petites, mais ce n'était que par contraste. Elles devaient avoir les dimensions de défenses d'éléphant, noires et annelées, cependant. L'extrémité de la corne droite était cassée, laissant entrevoir une sorte de mœlle crème, qui moussait. Le monstre se tenait si près de moi que j'ai pu voir des puces d'eau qui sautaient, se faisant un festin de cette substance. Le dragon des eaux entretenait une légion de vassaux.

Proportionnellement, les dents de N'ha-a-itk n'étaient pas immenses. On se serait attendu à des sabres, ce n'étaient que des poignards. Mais quels poignards ! Dans la gueule entrouverte, ils étaient des centaines, alignés sur plusieurs rangs. Contrastant avec les écailles et toute cette sorte de vétusté qui se dégageait du Méchant du Lac, ces dents paraissaient absolument neuves. On aurait pu croire qu'elles venaient de pousser. D'une blancheur nacrée, elles étaient crantées, parfaites pour tuer. La proie saisie dans cette herse blanche n'avait pas la plus petite chance de salut.

Une langue trifide a jailli, me projetant au visage des gouttelettes d'un mucus jaune, qui sentait la résine de pin et la pomme. Ce n'était pas le genre de parfum qu'on pouvait associer au monstre, j'en ai été désarçonné. À cet être terrible et repoussant, j'aurais prêté quelque émanation fétide, s'accordant avec l'âcreté de la peur qu'il générait.

La langue était longue, couleur corail et parsemée de villosités brunes. Les trois pointes s'agitaient, indépendantes les unes des autres, chacune grosse comme ma tête.

– Gorgone, ai-je dit.

C'est le seul mot que j'ai laissé filer entre mes lèvres amollies. Les extrémités de la langue énorme m'avaient rappelé les serpents s'agitant sur la tête du monstre mythologique. Ma voix était dissonante. Je n'avais pas voulu parler, mais la fascination maléfique faisait de moi un fantoche. Est-ce à cause de cela, de cet unique mot ânonné, que le Méchant du Lac a paru m'accorder une attention particulière ? Il y avait trois autres personnes qui m'accompagnaient sur cette plage, pourtant c'est sur moi qu'il s'est concentré.

Je ne sais s'il en va de même avec les baleines bleues, qui font la taille d'un immeuble, mais à partir d'une certaine échelle, les repères se perdent. Ainsi, le monstre était trop gigantesque, sa tête trop volumineuse pour que, de si près, je puisse voir autre chose que l'iris pailleté d'or et la pupille fendue d'un seul de ses yeux. C'était, démultiplié, centuplé, l'œil d'une vipère. Quand j'avais cinq ans, grimpant à quatre pattes un talus pierreux, je m'étais retrouvé face à un de ces reptiles. Ce ne sont pas des visions qu'on oublie : l'iris narcisse et ambre, si lumineux, de la vipère était beau comme un joyau. Pourtant, il prévenait. Je suis l'implacable, je suis la mort qui rampe, prends garde. Son discours était sans ambages.

Celui qui raconte, dans un livre, avoir empoigné une vipère pour la brandir sans crainte quand il était enfant, celui-là est un homme bien étrange. Il n'est pas nécessaire d'avoir été prévenu pour comprendre ce danger-là. Une vipère l'affirme, par son regard éclatant, je suis une belle assassine, admire-moi de loin, je ne suis pas de celles qu'on cajole.

. 33

J'étais absorbé tout entier par l'œil du Méchant du Lac, qui m'ouvrait l'accès à son univers.

J'aurais pu plonger à l'intérieur, imitant celui qui, saisi de vertige, se jette du haut de la falaise. Je sais que j'ai avancé la tête, que j'ai tendu mon visage vers cet or incandescent, et que j'ai vu une sorte de paupière transparente glisser sur la cornée avec un bruissement de papier de soie qu'on déchire. Le monstre s'est rapproché, à me toucher. Il m'aurait suffi de tendre le bras pour, du bout des doigts, enfin éprouver la matière dont était fait Ogopogo, celui que tout le monde cherchait, depuis tant et tant d'années.

Jamais je n'aurais pensé pouvoir éprouver plus d'ébahissement. J'étais au bout, croyais-je, de ce qu'on pouvait m'offrir en fait de surprise et de bouleversement, J'en étais aussi plein qu'un œuf. Je me trompais.

« Tu peux lui dire ! Tu peux lui répéter ça ! »

Qu'est-ce que c'était ? Que se passait-il dans ma tête ?

« Hein que c'est vrai ? Je n'invente pas, hein, Lachlan ? »

C'était la voix de Daffodil qui me parvenait, mais elle provenait de la gueule du Méchant du Lac. Et j'avais déjà entendu ces phrases, à l'identique. Je n'arrivais pas à reprendre mes esprits, j'étais dans un tunnel noir où mes croyances, mes références, mon assurance, mes repères n'existaient plus. Est-ce que la fille aux yeux mauves était là-dedans, prisonnière à l'intérieur de N'ha-a-itk ? C'était une idée insensée, une chose impossible. Pour commencer, jamais elle n'aurait pu franchir indemne le barrage des dents poignards. Et ces phrases...

La mémoire m'est soudain revenue : Daffodil avait dit cela au collège, devant Rayford, quelques heures avant de me casser le nez. Le grand serpent régurgitait une conversation qui avait déjà eu lieu, mais pas devant lui, car le collège s'élevait loin du lac.

La langue trifide a dardé entre les dents poignards. Une nouvelle bouffée odorante m'a envahi, tandis qu'une larme de mucus grosse comme une bombe à eau s'écrasait sur ma joue avec un bruit mouillé.

« Finis-le ! Shoote-lui dans les dents ! Je le tiens ! »

Jamais je n'aurais cru réentendre ces mots. Ils appartenaient à mon passé révolu, et les voilà qui surgissaient du puits où je croyais les avoir jetés. C'était maintenant la voix d'Edward qui s'élevait, depuis la gueule entrouverte du Méchant du Lac. Si N'ha-a-itk s'était jeté sur moi pour me dévorer, il ne m'aurait pas fait plus peur, car la résurgence de la scène épouvantable était ce que je redoutais le plus au monde.

– Daffodil ! ai-je crié en retour.

C'était mon nom amulette, mon bouclier contre toutes les disgrâces.

La paupière reptilienne a cligné.

– Daffodil !

Les écailles effrangées ont frotté les unes sur les autres. La masse gigantesque du monstre bougeait, même si sa tête ne s'éloignait pas de moi. Comme si le nom de la fille d'Ottawa avait provoqué une réaction chez le Méchant du Lac.

C'est à ce moment que la foudre a frappé. J'avais oublié l'orage qui errait sur les eaux. Un éclair émeraude s'est abattu sur le grand serpent, de plein fouet. La sorte d'explosion qui s'est produite m'a projeté en arrière, mais j'avais eu le temps de voir le corps s'illuminer, tout entier cerclé d'étincelles aveuglantes que le prisme rendait polychromes. L'onde de choc ne m'a étourdi qu'ensuite.

Lorsque je me suis relevé sur les coudes, les galets qui s'étaient collés à mon dos se sont détachés dans une cascade cristalline que j'ai entendue comme à travers un filtre, la même sensation que lorsqu'on a nagé sous l'eau et qu'en retrouvant la surface, on a les conduits pleins de liquide. Ogopogo n'avait pas bougé. Ses écailles scintillaient sous l'effet de l'électricité résiduelle. La foudre ne se décidait pas à quitter cette victime qui refusait de ployer. Le Méchant du Lac brillait de toute sa puissance inentamée.

– Daffodil ! ai-je crié une dernière fois, puisque cela avait l'air de me protéger.

« Finis-le ! Dans les dents ! »

Les mots revenaient, s'extrayant, fantômes sonores, de la gorge de N'ha-a-itk. Avec eux, les images et les émotions contradictoires, toujours si choquantes, malgré le temps qui avait passé. J'ai collé mes paumes sur mes oreilles et j'ai commencé à geindre.

Maman est passée près de moi en courant. Le rocher qu'elle tenait à deux mains m'a frôlé le coude. Elle l'a soulevé d'un élan brutal, à la façon des haltérophiles qui arrachent leur barre, et l'a tenu à bout de bras.

– Retourne d'où tu viens!

Une de ses épaules s'est tordue sous le poids, et j'ai cru qu'elle allait recevoir le rocher sur le crâne, mais d'une secousse elle s'est remise d'aplomb, redoublant d'agressivité:

– Je te tue! Moi, je te tue, si tu ne pars pas!

Comme elle était petite, face au Méchant du Lac! Elle combattrait, pourtant. Un matin, sur le rebord de ma fenêtre, j'avais trouvé une mante religieuse, que j'avais prise dans le creux de ma main. L'insecte avait levé vers moi ses globes oculaires vert tendre crevés d'un petit point noir. Il ne trahissait aucune peur, pas la moindre volonté de prendre refuge, dans ses manières. C'était un prédateur guerrier.

Ma mère, Flower Ikapo, avait l'aptitude au combat d'une mante religieuse.

Le monstre n'a pas reculé. Comment aurait-il eu peur d'une pierre, lui qui affrontait les éclairs? Sa langue a pointé, j'ai encore pu humer son haleine. Il a exhalé une longue tirade en langue indienne. J'ai bien constaté, à cette occasion, qu'il ne parlait pas lui-même. Il rendait des sons qui étaient emprisonnés quelque part dans son corps formidable. J'ai cru reconnaître du sinixt, mais je ne possédais pas assez de connaissances pour en être sûr.

Maman a lâché son rocher, si lourd que l'impact s'est propagé sur la plage de galets, jusqu'à mes fesses. Son dos a ployé sous le joug des mots, au timbre masculin, très grave, un peu rocailleux. C'était la voix de mon père. Je n'avais pas besoin qu'on me le dise, je le savais.

Qu'elles qu'aient été ces paroles, elles devaient contenir de lourds chagrins, et des regrets, car Flower Ikapo était incapable d'y faire face.

Puis la voix a changé. Une femme parlait, en anglais. Elle disait :

« Ma pauvre petite, comment avez-vous fait, toute seule dans cette forêt ? Montrez-moi votre bébé ! Sortez-lui la tête de ce blouson, vous allez l'étouffer ! »

Ma mère s'est arrachée à cette trouble hypnose. J'ai remarqué l'effort extraordinaire qu'elle faisait pour cela. Elle a redressé le torse pour se tenir, raide, presque cambrée, face au monstre lacustre. Ses longs cheveux noirs, luisants et dégouttants de pluie, pendaient jusqu'au bas de ses reins. Simon Sog l'a rejointe. Le pas de l'homme aux étoiles était hésitant, mais il avançait tout de même. Les yeux pailletés d'or du grand serpent se sont posés sur lui.

« Zelda, ma chérie, ma belle petite femme chérie. »

C'était lui qui parlait, lui, l'homme d'Orion, qui s'exprimait par la gueule du monstre. Qu'est-ce que cela pouvait produire, de s'entendre de cette façon, de s'écouter soi-même, et dans ces circonstances ? Je pouvais le voir de profil. Il a essayé de répondre à ses propres paroles, mais il n'en a pas été capable.

« Simon, arrête, tu es soûl comme une vache. Non mon gars, je te laisse pas reprendre ta caisse dans cet état. »

« Allez, partenaire, une dernière mousse ! »

« Une cirrhose, vous savez ce que c'est, monsieur Sog ? À ce rythme, vous ne reverrez plus votre fils. »

« Mon Simon, le pédiatre dit que Paul est... simple. »

« Zelda chérie ! Zelda ? »

C'était un chœur qui s'abattait sur l'homme d'Orion, les discours s'interpénétrant, se chevauchant, musique qui devait être insupportable. Simon Sog a lui aussi ployé sous les souvenirs. Il a chancelé, ainsi qu'il devait le faire lorsqu'il s'abrutissait d'alcool et qu'il partait en quête de l'absente.

Ogopogo s'est détourné, laissant entrevoir de larges branchies bleuâtres qui s'ouvraient juste derrière sa tête. Et il a plongé. Soudain il n'était plus là. Un nuage épais a avalé le soleil mourant, ç'a été la nuit, presque, et Royal a dit :

– Il est parti.

Ma mère était désarmée. Ses cheveux, sombre rideau, lui pendaient devant la figure tandis qu'elle courbait la tête, accablée. Cette image était si dérangeante que j'avais envie de les lui attacher en queue de cheval. J'éprouvais aussi le désir d'ajuster sur elle ses vêtements trempés, et de lui dire, en fin de compte :

« Redeviens solide ! Sois comme avant ! »

Simon Sog affichait la même léthargie. C'était un abrutissement de boxeur vaincu, qui a reçu trop de coups mais ne se décide pas à tomber. Dans ma tête, je leur tenais un discours-fleuve, mais ma bouche sèche et ma langue cartonneuse m'ont empêché de laisser sortir le moindre mot. Je n'ai pu que tousser.

L'orage s'éloignait sans hâte. Il grommelait, traînant dans son sillage les sombres nuages, qui laissaient place nette. La lune avait conquis le ciel. Le petit garçon que j'abritais encore en moi, qui aimait que tout soit carré, rassurant et prévisible, a protesté. J'aurais dû être en train de dîner, dans le calme éternel du tête-à-tête avec maman. J'aurais dû regarder un peu la télévision, ou un truc rigolo du Net, et puis aller au lit, avec un livre, pour très vite m'endormir. Ce soir, je n'aspirais plus aux batailles, j'abdiquais mon statut d'homme. C'était une protection que je désirais, voilà tout. Ogopogo provoquait cela, et, d'une certaine manière, la défaite était presque aussi barbare que si l'on s'était fait manger.

Le monstre s'attaquait au cœur. Qu'avait-il fait à l'Idiot ? Lui avait-il rendu, en écho, ses vantardises des mois précédents, avant de le déchiqueter ?

– J'ai sa photo !

Royal agitait, entre son pouce et son index, un téléphone portable turquoise, qui dans cette pogne avait l'air d'un jouet.

– Je crois qu'elle est bonne ! C'est Ogopogo !

Le géant était désarticulé. Sous l'effet de la trop forte émotion, ses membres se secouaient, plutôt qu'ils ne tremblaient. Silhouette démesurée au milieu de la plage, il dansait sur place, sans harmonie ni cadence, et c'était la si parfaite expression de son désarroi que j'en ai eu mal pour lui.

. 34

– Regardez ! C'est Ogopogo, sur l'image !

Paul Sog a fait un pas dans ma direction, un autre dans celle de son père. Il a laissé tomber le téléphone sur les galets. En trois bonds, l'homme d'Orion a rejoint son fils.

– Ça va, maintenant. C'est fini. Tu l'as dit toi-même, il est parti. Royal ? Regarde-moi. Il est parti.

Le géant s'est penché pour ramasser le téléphone. Son père lui a saisi le bras, mais il s'est dégagé en se contorsionnant.

– Non ! Il est là ! Il est encore là-dedans, dans la boîte !

– C'est juste une image, Royal. Donne-moi ça, si tu veux. Tu...

D'une fulgurante détente du bras, Paul Sog a jeté le portable dans le lac, très loin de la rive.

– Maintenant, il est complètement parti.

Si nous avions rapporté cette image au monde, au petit peuple de Kelowna, et puis à tous, peut-être Daffodil aurait-elle été désignée, au bout du compte, comme une des premières à avoir vu Ogopogo au cours de cet été extraordinaire. On ne l'aurait plus traitée de folle. Il y avait forcément des moyens scientifiques de prouver que cette photo n'était pas truquée. La fille aux yeux mauves n'aurait plus jamais été un paria.

J'ai couru vers le lac.

Les eaux étaient sombres et chaudes. Les vagues qu'avait provoquées l'orage ne s'étaient pas encore calmées, et le clapot me giflait, lorsque je sortais la tête entre deux brasses coulées. Dans mon dos, du rivage ça vociférait, mais je n'y prêtais pas attention. Où ce téléphone avait-il pu se poser ? J'ai sondé. Le fond était loin en dessous, il n'y avait pas de pente douce depuis la plage de galets. Comme la lumière du jour avait décliné, à partir de deux ou trois mètres de profondeur, c'était l'obscurité. Je me suis forcé à descendre dans le noir, mains en avant pour tâter au hasard, et tant pis si, sous mes doigts, je trouvais les larges écailles du Méchant du Lac. J'avais laissé Daffodil se faire insulter, je l'avais abandonnée, c'était le moment de payer ma dette.

J'ai touché quelque chose de rugueux et gluant. Était-ce une souche, un rocher ? Je ne le sais pas. Je suis remonté à la surface pour respirer, et c'est là qu'on m'a saisi au collet. Je me suis débattu.

– Lachlan, viens avec moi.

Maman, si douce, et si forte à nouveau, me parlait à l'oreille.

– Il faut que je retrouve le portable, ai-je dit.

– Lachlan...

– Il est là-dessous !

– Tu ne peux pas le retrouver. Personne ne le pourrait. Il faudrait une drague.

– Je vais me reposer un peu, et après j'y retournerai.

– C'est ça, bonne idée.

J'ai nagé, avec ma mère, vers le rivage. À l'instant où j'ai mis le pied sur les galets, j'ai saisi mon aberration. J'ai compris combien le Méchant du Lac m'avait commotionné, au point que j'en avais perdu le sens commun.

Royal s'est rué dans notre direction. Un courant insidieux nous avait fait dériver à l'extrême sud de la plage.

– Ça va bien ? Ça va bien ? C'est pas grave, c'est juste qu'un petit téléphone. J'en ai un autre à la maison.

Les circuits électroniques étaient en train de se dissoudre, la carte mémoire prenait l'eau. La preuve disparaissait. Mais, comme je me rappelais la gigue de panique du garçon géant, j'ai soupiré :

– Non, Royal, ce n'est pas grave.

N'ha-a-itk nous avait dénudés. Il avait offert à d'autres notre intimité, nos tourments secrets.

Ma confusion était telle que je fuyais le regard des Sog, et même celui de ma mère. Seul Royal avait été épargné, mais chez lui, y avait-il un rideau à tirer, quoi que ce soit à dévoiler ?

La chemise aux manches trois-quarts de maman lui collait aux côtes. L'homme d'Orion avait les vêtements froissés de celui qui s'est roulé par terre. Nous étions des naufragés, nous cherchions notre souffle après la tempête. Quelque temps, nous avons tourné en rond sur la plage. Royal et moi avons même fait un concours de lancer de galets, qui a tourné court puisque les forces étaient disproportionnées. Nous n'arrivions pas, en vérité, à quitter le rivage et à retourner à nos voitures. Comment allais-je parler de cette soirée à Daffodil ? Le Méchant du Lac évoquait, pour elle aussi, une humiliation.

– Rentrons, a dit ma mère.

Je n'ai pas été étonné qu'elle soit la première à s'extirper de cette glu. Elle était toujours la plus valeureuse.

Royal, la bouche en cul de poule, a imité un bruit de moteur.

– Vrrr ! À la maison, chauffeur ! Pour moi, ça sera un chocolat à la guimauve bien tassé avant le dodo !

Simon Sog touchait du bout du doigt ses étoiles tatouées. Il devait avoir une telle habitude de ce rite que la pulpe de son index s'enfonçait à l'endroit exact des points de couleur. Lui n'était pas décidé à quitter le lieu où il avait entendu sa femme. Désormais, moi aussi, je connaissais la voix de Zelda Sog, qui était morte, pourtant, des années plus tôt. Et mon père, qu'était-il devenu ? Était-ce bien lui que le monstre avait fait parler, pour que maman en soit si remuée ?

Passer la nuit sur cette plage ne m'apporterait aucun éclaircissement.

– Un chocolat à la guimauve ! a répété Royal, avec l'entrain surjoué des enfants qui veulent se convaincre eux-mêmes de leur gaieté quand ils s'ennuient, ou qu'ils ont peur.

L'homme d'Orion, d'une secousse qui l'a agité des chevilles à la nuque, s'est réveillé.

– Bien entendu, sire. Que Votre Altesse veuille prendre la peine de passer devant.

Nous nous sommes éloignés de la plage comme on quitte la scène d'un théâtre. Dans les branches, crissaient les millions d'insectes de la nuit. Je ne pensais plus à rien, je me laissais bercer par la tiédeur. Mes vêtements séchaient sur moi. De ma plongée ne subsistait qu'une odeur de vase, perceptible seulement quand je prenais une grande inspiration. Et si je n'étais pas sorti du rêve huileux de la première apparition ? Si tout cela n'était qu'un songe qui se prolongeait ?

Ogopogo !

Daffodil, Simon Sog et son fils, et maman. Cela faisait beaucoup de monde pour partager un rêve. Le lac m'a appelé, il m'a obligé à le contempler. Je n'ai obéi qu'avec réticence, car je savais – au fond de moi, j'en étais certain – ce que j'allais voir.

Le Méchant du Lac se dressait sous la lune opaline. Figure de proue démesurée, il ruisselait d'eau claire. Le monstre était on ne peut plus réel, son mucus s'était collé sur ma joue, j'avais flairé son haleine. Et il revenait pour saluer, pour que tout soit bien clair. J'ai voulu prévenir les autres, mais eux aussi avaient vu.

N'ha-a-itk l'éternel a pris son temps. Comment n'y aurait-il pas eu d'autres gens pour l'apercevoir ? Aujourd'hui même, peut-être ? L'Okanagan était noir de monde en cette saison. Si tous ces témoins se taisaient, était-ce parce qu'ils avaient peur de passer pour des originaux, ou parce que le Méchant du Lac avait fait parler leurs morts, leurs amours enfuies, et déterré leurs fautes ?

Simon Sog a insisté pour vérifier les roues de notre voiture. Personne ne parlait. Tous nos gestes étaient mesurés, empruntés, nous nous sentions surveillés.

Royal serrait son ballon jaune contre sa poitrine, en chantonnant une comptine.

– C'est bon. Mais vos autres pneus sont usés jusqu'à la trame, regardez celui-là. Vous devriez acheter des rechapés, ça vous coûterait moins cher qu'une autre crevaison. Je le fais pour vous, si...

– Je sais. Je m'en charge, a dit maman.

Elle a dû se reprocher sa sécheresse, parce qu'elle a ajouté :

– Merci.

Nous venions de vivre un événement qui nous dépassait, mais je n'ai pas attribué la froideur de ma mère à la confusion. Elle n'aimait pas qu'on évoque, même de façon indirecte, notre pauvreté. « Pourquoi des rechapés, pourquoi pas des pneus neufs ? » aurait-elle pu demander. J'ai trouvé cela injuste de sa part, parce que, tout de même, l'homme d'Orion était venu nous aider pour nous épargner la dépanneuse. Et puis, si on pouvait légitimement redouter le pire des jugements imbéciles des bourgeois de Kelowna – surtout quand il était question d'Indiens –, les Sog n'habitaient pas un palace.

– J'ai sommeil, a dit Royal.

– Nous partons sur l'heure, sire.

Le grand garçon m'a tendu une main pour un tape-m'en-cinq qui ne présageait rien de bon, mais je ne pouvais pas y échapper. J'ai avancé les doigts, crispé dans l'attente de la fracture multiple qui sonnerait mon retour à l'hôpital.

« Pif ! » Un effleurement, presque une caresse.

– On se revoit bientôt, hein, mon ami ? s'est enquis le géant vert.

J'ai trouvé dans ces mots toute l'inquiétude de celui qui, sans cesse rejeté, n'en démord pas. J'en ai éprouvé de la tendresse, un peu de mélancolie, aussi. Le fils de l'homme d'Orion avait cette transparence que chacun prétend louer, mais qui est fuie comme la peste puisqu'elle est si dangereuse, annonciatrice de souffrances.

– Oui, nous allons vite nous revoir... mon ami.

Dans sa candeur enthousiaste, Royal a fait rebondir trop haut son ballon jaune, et il a couru après avec une énergie retrouvée.

Simon Sog m'a serré la main.

– Vous êtes les bienvenus chez nous. Quand vous voulez.

Ma rancœur envers lui s'était dissipée. Ce n'était pas un homme de manœuvres et d'intrigues, et s'il ne souffrait pas de la même affection que son fils, il partageait avec lui une sorte de franchise spontanée, qui apaisait l'esprit. Ses tatouages ressortaient plus encore dans la pénombre qu'à la lumière du grand jour.

. 35

Nous approchions de la maison quand maman a coupé l'autoradio qu'elle avait mis en sourdine.

– « Shoote-lui dans les dents » ?

Elle a attendu une seconde, puis repris :

– « Finis-le » ?

Ma mère n'était pas en colère, c'était bien pire que cela. J'avais espéré qu'elle ne me questionnerait pas tout de suite, que, compte tenu des circonstances exceptionnelles, j'aurais eu le temps de me recomposer.

– Est-ce que tu as blessé quelqu'un physiquement, Lachlan ? « Shooté dans les dents » ! Au nom du ciel ! C'était la voix de ce petit salaud d'Edward ! J'en suis certaine ! Mais qu'est-ce qui m'a pris de ne pas vous séparer depuis... depuis le début ! Je te croyais assez fort pour ne pas... Non ! J'ai été négligente, j'ai laissé aller.

– Quand N'ha-a-itk t'a parlé, à toi, ce n'était pas la voix de mon père ?

Maman a rallumé la radio, l'a immédiatement éteinte. Puis elle s'est garée sur le bas-côté, si vite que la ceinture de sécurité a comprimé mon torse.

– Ça date de quand, Lachlan ? Qui avez-vous frappé ? Vous vous y êtes mis à plusieurs, comme des lâches ? Tu n'as quand même pas donné un coup de pied dans la figure de quelqu'un ? « Finis-le » ? Lachlan, est-ce que cette policière a raison ? Tu es mêlé à des histoires de drogue ?

– Maman ! N'importe quoi !

– Mais je n'en sais rien, moi, Lachlan. Je ne te connais pas, voilà ce que je découvre. Je ne sais plus qui est mon fils.

– Edward...

– Ah, ça va, avec lui ! Il a bon dos, aussi, Edward. Tu es libre de tes actes. Tu n'es pas une saleté de drone téléguidé.

– Attends que je termine. Edward m'a dit ça, c'est vrai. Mais je ne l'ai pas fait.

– Tu n'as pas... ?

– Non, maman.

– Qui était-ce ? Qui a été frappé ?

– Je ne veux pas le dire. Mais je n'ai pas donné ce coup de pied.

– Et si je refuse de te croire ?

– Tu te tourmenteras pour rien. Tu en souffriras, toi.

– Oh, mais rassure-toi. Je ne suis pas Jésus, mon garçon. Je ne souffre pas pour les fautes des autres.

Je m'étais cru si proche de ma mère. Quand j'entendais, au collège, mes camarades parler de leurs parents, je croyais que nous deux étions différents. Que notre âge si proche, aussi, jouait pour nous. Mais, ces années durant, en abusant du crédit qui m'avait été offert, j'avais creusé l'abîme qui s'ouvrait désormais entre nous.

– Et mon père ?

Maman avait redémarré. Comme je m'y attendais, elle n'a pas desserré les lèvres.

J'ai eu beaucoup de mal à me lever, le lendemain. La chaleur avait encore augmenté, l'air manquait même à cette heure précoce. Mais c'était le jour du conseil de Daffodil. Je suis allé à la cuisine. Ma mère, chose très inhabituelle, n'y était pas encore. Dans le congélateur, j'ai pris un bac à glaçons en plastique souple, que j'ai tordu au-dessus de l'évier, j'ai mis la bonde, fait couler l'eau, et j'ai plongé mon visage dans la glace aussi longtemps que j'ai pu retenir mon souffle. J'ai brusquement relevé la tête quand j'ai eu la vision d'Ogopogo surgissant des profondeurs pour me happer.

Maman est entrée dans la pièce, elle est allée poser une casserole sur un brûleur. Aussi longtemps que remontaient mes souvenirs, jamais elle n'avait oublié de me dire bonjour. Mais cela n'avait rien d'un oubli. Si la nuit avait porté conseil à Flower Ikapo, ce n'était pas dans le sens de l'indulgence. Je lui en ai d'autant plus voulu que je savais qu'elle avait raison.

Elle est allée jusqu'à emporter son petit déjeuner dans sa chambre. J'avais fini par croire que je devrais me rendre seul au collège quand elle m'a lancé, à travers la porte :

– Prépare-toi ! Et habille-toi correctement pour le conseil.

Ma mère non plus n'avait pas oublié. Je me suis abstenu d'aller manœuvrer la voiture, je ne me reconnaissais plus de droits. Nous sommes partis très vite, le regard fixe, nous ignorant mutuellement. Si dix banderoles racistes avaient décoré notre terrain, nous ne les aurions pas vues.

C'était tellement inconcevable que nous ne parlions pas du Méchant du Lac, que nous agissions, en définitive, comme s'il ne s'était rien produit de particulier, la veille au soir. Assurément, le monstre tenait les gens sous la coupe de leurs propres secrets. Il était leur conscience sombre, leurs souvenirs cuisants.

Le conseil avait lieu en fin d'après-midi. Pendant les premières heures de cours, je me suis répété, inlassablement, l'argument que j'avais trouvé pour défendre Daffodil, et que maman avait accepté lorsque, deux jours plus tôt, nous en avions discuté. Je ne connaissais aucune mère qui aurait été dans ce sens, parce que cela m'exposerait à de vrais ennuis, mais Flower Ikapo plaçait la loyauté au-dessus de tout. Comme j'avais failli dans la défense de la fille aux yeux mauves, il lui était naturel que je me rattrape, même au prix de ma propre tranquillité.

La cascade de catastrophes m'avait affaibli, et mon étourdissement entamait ma résolution. Aurais-je trouvé les ressources d'aller jusqu'au bout, si le jugement de Flower Ikapo n'avait été en jeu ? Mais, si en plus de ce qu'elle venait de découvrir, ma mère apprenait que je n'avais pas tout donné pour sauver Daffodil, j'encourrais son irrémédiable mépris.

– Tant pis si tu te fais renvoyer. Tu peux toujours changer de collège, mais tu ne peux pas changer d'honneur.

Évidemment, elle m'avait dit cela avant d'entendre

N'ha-a-itk dégorger les miasmes de mon passé, où l'honneur n'avait guère de place.

La classe entière attendait ce conseil, l'atmosphère n'était pas habituelle, on surprenait des rires nerveux, des messes basses excitées. On me dévisageait. J'étais celui qui sortait avec l'anormale, et qui en avait été justement récompensé par des coups. La chance s'en mêlant, peut-être y aurait-il un nouveau scandale, des rebondissements inédits ? Ce genre de fièvre devait régner autrefois, quand on s'apprêtait à brûler une sorcière.

Owyn, de sa place, m'a fait le signe de se couper le cou, du revers du pouce. Ses paupières rougies par la chaleur, bombées, lui donnaient une apparence maladive, et malgré sa masse replète, il évoquait la faiblesse, la fragilité d'un vieil arbre pourri dont on sent qu'il suffit de le pousser pour qu'il tombe. Il n'avait que quatorze ans, comme moi, mais déjà l'adulte pointait en lui, un homme gros et malheureux qui tituberait au long d'une existence erratique, courant après des amours et des amitiés illusoires. Contrairement à Paul Sog, il était capable de suivre une scolarité normale, mais si on m'en avait offert le choix, j'aurais mille fois préféré vivre dans la peau de Royal.

Rayford pâlissait à mesure que les autres, dans la classe, devenaient noirs de bronzage. Lui ne se réjouissait pas. Il m'a scruté, sourcils froncés, dents serrées, puis il est retourné à sa copie.

La main gauche de Farren, qu'il avait collée contre sa cuisse, sous le bureau, tremblait. Je le voyais même de là où je me tenais, à l'autre bout de la salle. Les professeurs devaient être aveugles pour ne pas se rendre compte de ce qui se passait. En regardant le garçon aux oreilles de renard qui luttait contre les effets dévastateurs de la colle, je me suis dit que nos accords tacites d'adolescents étaient dérisoires. Que si je voulais sauver Farren, je devrais me résoudre, à un moment ou à un autre, à en parler à un adulte. Mais j'étais déjà pris par mon combat pour Daffodil, je n'avais pas besoin d'un ancien ami qui se débattrait de toutes ses forces pour ne pas être guéri, et me mordrait à chacune de mes tentatives.

Edward, à la récréation, s'est mis à marcher sur les mains. Tous les quelques mètres il pliait les bras – jusqu'à ce que ses cheveux touchent le sol –, puis il repartait. Le tueur de chiens avait enlevé son T-shirt. Ses triceps saillaient, son ventre était noué de muscles plats et denses. Chaque jour il devenait plus solide, ce n'était pas seulement à un esprit malveillant que je devais me confronter, mais à un corps aguerri.

Devant moi, il a fait un rétablissement digne d'un *b-boy* de haute classe.

– Alors, Roméo ? Comment tu le sens, ce conseil ?

Il n'était même pas essoufflé. Je me suis contenu pour répondre aussi froidement que l'aurait fait ma mère :

– Très bien. Je le sens très, très bien.

– Mais ils vont quand même la défoncer, l'anormale, tu sais...

– C'est gentil de t'inquiéter.

– De rien. L'énergie positive, c'est ça qui sauvera le monde.

J'avais épuisé mes cartouches, et je ne voulais pas répondre une niaiserie. Edward a remis son T-shirt.

– Ils vont partir, les Drooler, de toute façon. Ils ne sont pas faits pour le coin. Et ils n'aiment pas les Indiens. Retour à Ottawa ! On va se retrouver entre nous, mon vieux Lachlan.

– Ils adorent les Indiens.

– Flower t'a déjà dit combien c'est mal, de mentir.

– N'appelle pas ma mère Flower, connard.

– Et voilà. C'est ton souci : tu ne tiens pas tes nerfs.

. 36

Daffodil n'est arrivée qu'une demi-heure avant le conseil, quand le collège achevait de se vider de ses derniers élèves. Ann Drooler l'accompagnait, sanglée dans une sorte d'uniforme qui devait être le vêtement des grandes circonstances. Elle offrait l'apparence de ces Blancs des photos d'autrefois, conquérants d'exotiques pays chauds, qui s'efforçaient d'adapter une stricte élégance à des climats caniculaires, et ne parvenaient qu'à être ridicules. Il ne lui manquait plus que le casque colonial pour parfaire la panoplie.

La fille aux yeux mauves portait un petit chapeau de paille, une chemise hawaïenne noire, un pantalon en lin crème et des Converse claires.

J'avais tant de choses à lui raconter. Pourtant, l'apercevant, j'ai tout oublié, la force de mon amour pour elle m'a submergé. Elle aurait voulu que sa démarche soit désinvolte, et elle y réussissait presque, mais sa jambe droite traînait un peu, raide, à chaque enjambée. Je savais que c'était le stress qui se manifestait, et qu'elle devait s'imaginer qu'on ne voyait que ça, qu'elle avait l'air d'un pirate à la jambe de bois, alors qu'il fallait la scruter comme je le faisais pour s'en apercevoir.

– C'est une affaire pénible. J'ai souhaité vous réunir tous, afin de trancher en connaissance de cause. Si vous le voulez bien, venons-en tout de suite aux faits.

On voyait rarement le directeur. La plupart du temps, il restait enfermé dans son bureau, et le collège entier spéculait sur ce qu'il y faisait, cloîtré ainsi toute la journée. Les monstres des films d'horreur sont d'autant plus épouvantables qu'ils se montrent peu : on redoutait M. Cavaliere, l'invisible, qui tirait les ficelles de l'établissement depuis son antre.

Cette fois, il était là, assis du bout des fesses sur sa chaise de plastique. Les joues creuses, les orbites enfoncées qu'accentuait l'éclairage de la salle de conseil, il nous mettait au défi de ciller une seule fois.

Mlle Snippny s'est agitée, elle a levé le doigt, en écolière méritante.

– Je propose...

C'était, parmi les adultes, une des adversaires les plus acharnées de Daffodil. Je me rappelais ses paroles contre cette élève qu'elle n'aimait pas, le jour où j'avais été admis à son infirmerie :

– Elle n'a rien à faire avec des élèves normaux.

J'ai donc sonné la charge sans attendre, en lui coupant la parole.

– Je suis responsable de tout.

Le directeur a frappé la table du bout de ses ongles, dans un cliquetis sonore. Avant qu'il m'ait dit de me taire, j'ai poursuivi :

– J'ai mis une main aux fesses de Daffodil.

Nous en avions longtemps débattu, maman et moi. Il était ardu de trouver un prétexte qui justifie un coup de poing pareil.

– Ce n'était pas la première fois, en plus, ai-je ajouté.

Pour observer la fille aux yeux mauves, j'aurais dû tourner la tête, car elle était assise loin sur ma droite, au bout de la longue table. Elle a protesté :

– Mais... ce n'est pas vrai !

– Si. Tu le sais bien. Excuse-moi, Daffodil.

– Ce garçon ment ! C'est un... un menteur ! s'est écriée Mme De Lucia.

Le directeur a pianoté, un peu plus vite, sur la table. Il était visiblement contrarié.

– Pour quelle raison M. Ikapo nous mentirait-il ?

– Parce que c'est un sale menteur, voilà pourquoi !

– Madame De Lucia, je vous en prie ! Vos arguments sont un peu légers, ne croyez-vous pas ? Nous ne plaisantons jamais, dans cet établissement, avec le harcèlement. Ces pratiques restent souvent cachées, personne n'est au courant, la plupart du temps. Mademoiselle Drooler, n'ayez pas peur. Est-ce que c'est ce qui s'est passé ? Depuis combien de temps Lachlan Ikapo vous... embêtait-il ?

– Jamais !

Le conseil n'avait duré que trente-sept minutes. Si j'en suis sorti fourbu, j'avais obtenu ce que je désirais pour la fille aux yeux mauves : le bénéfice du doute.

Daffodil et moi récoltions trois jours de renvoi, ce qui n'était, je crois, pas cher payé, mais l'exclusion temporaire s'assortissait d'un sursis. La moindre esquisse de désordre, et ce serait la porte, définitivement. Le trio formé par Mme De Lucia, M. Knopfler et Mlle Snippny nous aurait à l'œil. Cette sentence les désavouant, ils guetteraient l'occasion et ne nous manqueraient pas. Ann Drooler n'avait pas moufté. Je croyais qu'elle était trop impressionnée par cette réunion austère, paralysée par l'enjeu, mais ce n'était pas cela.

Le conseil s'était dispersé dans la cour, M. Cavaliere avait regagné ses funestes quartiers – il vivait dans le collège –, et nous autres regagnions nos voitures, quand la mère de Daffodil nous a rattrapés, maman et moi. Elle portait des chaussures qui devaient être neuves, aux talons trop étroits, qui la faisaient vaciller quand elle pressait le pas.

– Flower ! Lachlan !

Comme elle trébuchait, manquant s'abattre de tout son long, j'ai remarqué, dans l'ouverture de son décolleté, une marque sombre qui s'étendait sous la clavicule.

– Flower !

Ma mère n'a pas bronché. Elle attendait.

– Vous nous avez sauvées. Je sais que Lachlan n'a pas commis ce qu'il prétend.

Loin derrière Ann Drooler, la fille aux yeux mauves faisait les cent pas, devant la grille du collège.

– Sauvées, c'est un peu fort.

– Si, si ! Je voudrais m'excuser, je voudrais... C'est Jasper, vous comprenez...

– Le roi du ski nautique ?

Maman pouvait faire passer tout le dédain du monde dans cinq petits mots.

– Heureusement que notre fille n'est pas exclue du collège. Mon mari... il était vraiment furieux, il...

– Quittez-le, a dit ma mère. Si vous voulez, vous pouvez venir chez nous, le temps nécessaire pour vous retourner, la petite et vous.

– Ho ! Non ! Ce n'est pas... ce n'est pas du tout possible !

Flower Ikapo, celle qui fabriquait les médailles pour les gens comme il faut, a tendu le bras vers la gorge de la mère de Daffodil, jusqu'à toucher sa peau.

– Je sais ce qu'il vous fait, Ann. Vous ne pouvez pas l'accepter.

– Qu'est-ce que vous racontez ?

– Il vous faudra bientôt boutonner votre chemise au-dessus de votre tête, si vous voulez que ça ne se voie pas.

Ann Drooler a collé ses mains contre son thorax. Son visage s'est désagrégé. En un instant, elle a vieilli de vingt ans. Daffodil, qui nous surveillait avec beaucoup d'attention, est venue vers nous à grandes enjambées, mais il était trop tard pour que sa mère se reprenne.

Maman a pris dans ses bras Ann qui pleurait en silence, désormais. Elle l'a tenue contre elle, solennellement, avec une digne solidarité dont je me suis senti exclu parce que c'était une affaire d'adultes, et surtout une affaire de femmes.

. 37

L'année précédente, j'avais entendu Fenella et ma mère discuter de la situation des épouses battues. Elles étaient d'accord sur le fait que c'était le mari violent qui devait quitter la maison, et non l'inverse. Pourquoi la victime aurait-elle dû se retrouver en foyer, séparée de ses enfants, parfois ? Une des ouvrières de l'atelier avait réussi à obtenir une ordonnance qui non seulement chassait son mari du domicile, mais interdisait à cet homme d'approcher celle qu'il avait blessée.

Maman, enfermée dans sa chambre avec Ann Drooler, le lui expliquait. Daffodil et moi restions au salon, sans pouvoir nous empêcher d'écouter la conversation qui filtrait à travers la cloison. Ces circonstances font comprendre qu'à quatorze ans on penche plus du côté de l'enfance. Qu'on est encore loin d'être majeur, en vérité.

– Il faut faire constater ça par un médecin, et porter plainte, disait ma mère. C'est la première chose à accomplir, vous serez armée pour la suite.

– Je ne peux pas ! Le scandale ! Et ma fille...

La fin de la phrase d'Ann s'est perdue dans un murmure.

– Montrez-moi... L'hématome est énorme ! Mais avec quoi vous a-t-il frappée ?

Daffodil a jailli du canapé.

– Il faut que je sorte !

Dans sa hâte, elle a à moitié arraché le loquet de la porte donnant sur le jardin. Je l'ai suivie.

Nous nous sommes réfugiés sous l'ombre portée des sassafras, là où, dix siècles auparavant, j'avais jeté la banderole.

– J'ai revu Ogopogo.

Je devais tout de même le lui confier, à elle.

– Et il a parlé.

La fille aux yeux mauves a tressailli.

– C'est vrai ?

– Nous étions quatre. Ma mère, moi, et... des amis.

– Qu'est-ce qu'il a dit ? Il a parlé... tu veux dire qu'il a parlé en humain ?

J'ai raconté ce qui s'était produit. Ç'aurait été facile d'omettre le plus gênant, mais je me suis contraint à ne rien oublier. Daffodil a digéré ces informations nouvelles, qui éclairaient le monstre du lac sous une autre lumière, plus affolante encore, mais dénonçaient aussi, sans pitié, mon misérable passé.

– Trop de violence, a-t-elle fini par lâcher. Je ne frapperai plus personne de ma vie.

C'était si juste. Dans Kelowna, ville tranquille où ne régnaient pourtant ni guerre ni délinquance, on était brutal, on se battait et on maltraitait les plus faibles. Y avait-il des endroits sur terre qui incitaient à plus de miséricorde ?

Daffodil a passé la main sur l'ombre de ses cheveux.

– De quoi parlait Ogopogo quand il a... ressorti son truc ? Qu'est-ce que vous avez fait, Edward, les autres et toi ?

Je ne l'avais pas révélé à maman, et j'étais décidé à garder les lèvres scellées. Mais, emporté par les yeux mauves, j'ai cédé.

– Au parc de Stephens Coyote Ridge, tu vois, vers le nord, il y a une famille qui habite une espèce de grange aménagée. Les Bluebeans. Drôle de nom, mais c'est comme ça qu'ils s'appellent. La seule chose qu'ils aient de drôle, d'ailleurs. Ce sont des bouilleurs.

– Des quoi ?

– Des bouilleurs. Ils fabriquent de l'alcool trafiqué avec les fruits qu'ils volent dans la région, et ils vendent le tord-boyaux aux USA, à la frontière et jusqu'à Seattle.

– C'est loin !

– Il faut croire qu'ils y trouvent leur compte. On dit qu'ils sont riches. Ce qui est sûr, c'est que le père roule en Lexus haut de gamme, et les quatre fils se trimballent avec assez de matos de luxe sur eux – montres, sapes et tout – pour avoir l'air de rois du pétrole. Ils sont tous durs, même la mère.

– Autant que ta mère à toi ?

– Ce n'est pas le même genre de dureté. Eux, ils sont... implacables. Et Rook, un de ces frangins, c'est déjà un numéro, même s'il a notre âge, non, un an de plus que nous. Il est spécial, comme gars. Même ses cheveux sont résistants, solides, on dirait du barbelé.

C'est avec lui qu'on a eu l'histoire. Une guerre, pour un *skatepark*. Ce n'est pas nous qui...

– Je n'aime pas quand tu dis ce « nous ».

– Qu'est-ce que tu veux que je dise ? J'y étais. Ça faisait une paye qu'on se regardait de travers, avec les frères Bluebeans, et ça ne me plaisait pas, parce que je sentais un vrai danger, le risque que ça dégénère. Un dimanche, c'était en automne et il n'y avait personne que nous parce qu'il pleuvait un peu, Rook est arrivé au *skatepark* tout seul. Il nous a traités... bon, même pas la peine de le répéter, les insultes de base, quoi. Quoi qu'on en pense, ce n'était pas notre style de tomber à quatre sur un seul mec, donc c'est Rayford qui y est allé, en bon petit soldat d'Edward. Le couteau, je ne l'ai même pas vu. J'ai juste entendu le tissu qui se déchirait, Rayford a virevolté et son sweat était coupé en deux, au niveau du ventre. « Lame ! » a crié Edward. Rook tenait un *bowie* qu'il avait sorti d'on ne sait où, il l'agitait devant lui en montrant les dents. Rayford s'est palpé le bide, il n'avait rien, mais il n'arrêtait pas de se frotter et d'inspecter ses mains. Je crois que j'aurais fait pareil. Une lame, ça fout la trouille. Edward, lui, était très lucide. Il a balancé son *skate* en plein dans la face de Rook, et si nous lui sommes tous tombés dessus, c'était comme pour échapper à cette trouille du couteau. Le danger, soit tu le fuis en courant, soit tu sautes dedans, et s'il y a des gens pour te surveiller, par bravade tu choisis plus facilement le saut. Owyn s'est fait couper la paume, mais il est fort comme un bœuf, et à force, il a réussi à prendre le *bowie*. Rook s'est mangé des gnons, mais dans la panique nous avons distribué large, et je me souviens d'avoir pris des pains, moi aussi. Tout le monde se tapait un peu dessus. Rook s'est ramolli, à force. Rayford et Owyn le tenaient aux bras et aux jambes, et... je te passe la description. Je me suis relevé, et Edward m'a dit de...

– Lui shooter dans la tête.

– Dans les dents. Il a dit : « Shoote-lui dans les dents. » Et : « Finis-le. » Je ne l'oublierai jamais, surtout parce que j'ai failli lui obéir. Dans l'excitation d'une bagarre, on fait n'importe quoi. Ce qui m'a arrêté, c'est que Rook puait la bière. Je l'avais senti quand nous nous roulions tous par terre. Le gars était complètement bourré. Non seulement – couteau ou pas – nous étions sur lui à plusieurs, mais en plus, il avait agi de cette façon à cause de l'alcool, il n'était pas lucide. Donc j'ai dit non.

– Et Edward ?

– Il a posé deux doigts sur sa tempe. C'est ce qu'il fait quand il réfléchit.

– J'ai remarqué.

– Jamais un bon présage quand il cogite de cette façon, hein ? Je ne sais pas ce qu'il avait prévu – rien de réjouissant pour Rook –, mais les trois autres frères Bluebeans ont déboulé sur le *skatepark*. Si j'avais fait ce qu'Edward me demandait, si j'avais sérieusement amoché leur frangin, ça se serait terminé en massacre. Le père lui-même aurait pu débarquer, et ce sont des gens qui règlent leurs embrouilles au fusil de chasse. Edward a donné le *bowie* au plus âgé des frères, Sony, qui devait avoir pas loin de dix-huit ans, et il lui a recommandé de se faire les ongles avec. Ç'aurait pu dégénérer de toutes les manières, mais l'aîné a mis une baffe à Rook. « Tu te rappelles qu'on a du business tout à l'heure? il lui a dit. Tu veux que le vieux te tombe dessus, Rookie?» Si on a pu s'en tirer, Daffodil, c'est que ces types pensaient déjà comme de vrais truands. L'argent passait avant le reste. Puisque nous ne nous tenions pas en travers de ce chemin-là, que nous n'étions pas des concurrents, ils nous ont laissés tranquilles. Dans le cas contraire, ils nous auraient peut-être tués. Pour Owyn, Rayford, Farren et moi, Sony ne se trompait pas, il nous avait estimés à notre juste valeur: nous étions juste des petits mecs hors jeu. Pour Edward, c'était différent, et c'est là qu'il a commis une erreur de jugement. Tu ne peux pas te confronter à Edward sans en payer le prix. Il ne lâche jamais. Ce n'est même pas de l'orgueil, parce qu'il s'en fout, de comment on le regarde. Il trouvera un moyen de te nuire, c'est tout.

– Comment il s'y est pris, avec cette famille?

– La Lexus des Bluebeans a brûlé. Ils en ont acheté une autre, qui a brûlé un mois plus tard. Ils en ont racheté une, ils l'ont mise dans un garage gardé, mais elle aussi a brûlé, pendant que le père faisait une course. Ils en sont à leur quatrième modèle en un an. Fidèles à la marque...

– Tu es sûr que c'est Edward?

– Il n'y a que lui pour prendre des risques pareils.

– On dirait que tu l'admires.

– Je le crains. Ce n'est pas la même chose.

. 38

Ann Drooler dormirait dans ma chambre, avec Daffodil. Il me restait le canapé du salon. Jamais personne n'avait passé la nuit chez nous. Flower Ikapo la farouche n'était pas du genre sociable. La maison, soudain, prenait des allures miteuses, quand je la considérais à travers le regard de Daffodil et celui de sa mère : le papier peint vert que nous n'avions jamais changé, les fentes du parquet, l'émail rayé de la salle de bains, tout concourait à la mauvaise impression. Je ne souriais plus à l'évocation du logis plastifié des Drooler.

Des Indiens pauvres, voilà ce que nous étions, maman et moi. Si nous ne vivions pas dans la réserve, c'était tout comme, et sans les avantages. Les Okanagan qui s'y rassemblaient pouvaient au moins y trouver le réconfort du nombre, et de l'identité.

– J'aime beaucoup ta chambre, m'a dit la fille aux yeux mauves.

– Oui, mais je ne serai pas dedans ce soir. Du coup, elle perd tout son intérêt.

Daffodil, du gras du pouce, a suivi la ligne de son sourcil rasé.

– Explique-moi ça.

– Pas avec ta mère et la mienne dans la maison...

– Lachlan, et si c'étaient les Bluebeans ? Pour nos vêtements, et la banderole ? Et les billes d'acier ?

– Ils ne pensent plus à nous. C'est vieux, ça a un an.

– Peut-être qu'ils ont des doutes, pour les voitures brûlées.

– Aucune chance. Ils ne croient certainement pas qu'Edward soit aussi fondu, il cache bien son jeu. D'ailleurs, s'ils avaient un doute, ils s'en seraient pris à lui, et avec autre chose que des billes de lance-pierre. Ils n'auraient pas non plus seulement joué à cache-cache avec nos petites affaires. Encore un truc : même si ce sont des truands, ils n'ont pas le profil du genre de gars qui balancent des ordures racistes sur le gazon d'une mère célibataire. Ils ont mieux à faire. Si j'ose dire.

– Je n'aime pas ton passé.

– Je ne peux pas le changer. Ce qui compte, c'est ce que je suis maintenant.

La présence de Daffodil était à la fois agréable et gênante. Au collège et dehors, c'était différent. À la maison cependant, je trouvais plus de sécurité à frapper sur les touches d'un écran, à distance, loin des interactions des parfums, du regard et de la peau.

La fille aux yeux mauves allait dormir dans mon lit. Ce n'était pas rien, même si moi, j'étais exilé dans le canapé.

Maman et Ann Drooler ne voulaient pas que nous restions seuls à la maison, mais elles devaient passer par un cabinet médical avant d'aller porter plainte au poste de police, et refusaient catégoriquement que nous les y accompagnions.

– Nous attendrons dans la voiture ! avait dit Daffodil.

Sa mère avait réagi avec emportement.

– C'est hors de question !

Les émigrés d'Ottawa ne possédaient aucun ami dans la région, personne à qui confier leur enfant. Elle aurait d'ailleurs dû s'expliquer, et ç'aurait été trop insupportable, il y avait là une évidence que je reconnaissais moi-même.

Les « r » roulants de Fenella, ou le ballon de plage en pleine face ? Choix séduisant, plein de promesses enchanteresses. Maman était d'un tempérament trop indépendant pour faire à nouveau appel à Simon Sog dans un laps de temps si court. Elle devait redouter, plus que tout, la perspective de passer pour une faible femme. Si Ann Drooler n'avait été concernée, ma mère m'aurait ordonné de l'accompagner chez le médecin, et à la police, sans faire d'histoire, mais elle ne voulait rien ajouter à la détresse de cette femme.

Elle a composé le numéro de la fausse Écossaise.

– Je me demande ce que fait mon père, a murmuré Daffodil.

Quand Ann Drooler avait appelé son mari pour lui dire qu'elle ne rentrait pas à la maison, il avait raccroché, comme il l'avait fait avec moi. Il ne devait pas être doué pour l'argumentation. Ma mère avait recommandé un SMS, pour garder une preuve.

Ça n'avait après tout rien de si invraisemblable, l'idée que cet homme m'ait tiré dessus avec un lance-pierre. Ni qu'il ait déposé cette banderole. Ce qui clochait, c'était l'idée qu'il aurait pu voler les vêtements de sa propre fille. Il était trop prude pour ça, et trop obsédé par le qu'en-dira-t-on.

– O.K., a dit maman qui s'était isolée pour parler discrètement au téléphone. Nous vous déposons chez Fenella. En route.

La rouleuse de « r » était ravie de rencontrer celle qui m'avait cassé le nez et obligé à porter une minerve. Tant qu'Ann Drooler et maman avaient été à proximité, elle s'était retenue, mais à l'instant où Daffodil et moi nous sommes retrouvés seuls entre ses griffes, elle a lancé, mutine :

– Alors, mes agneaux, c'est l'amour vache ?

Cette question, qui n'avait rien de méchant, et que Fenella avait posée avec l'innocence de la chambreuse professionnelle, a déclenché chez moi une comparaison que je n'avais encore jamais faite, parce qu'elle ne me serait pas venue à l'esprit : le coup de poing dévastateur de Daffodil avait-il un rapport avec ce que son père infligeait à sa mère, depuis longtemps, peut-être ? Est-ce que la brutalité ne provenait pas d'habitudes familiales ? Cela n'a duré que quelques secondes, le temps que je me reprenne. Comment pouvais-je penser une chose pareille ? Ç'aurait été condamner tous les enfants grandissant dans la violence, comme si celle-ci avait été une maladie forcément contagieuse ou, pis encore, héréditaire. J'étais par ailleurs mal placé pour tenir ce genre de raisonnement, puisque je m'étais battu cent fois, en compagnie d'Edward et des autres Rémoras, alors que je n'avais jamais surpris ma mère à cogner sur qui que ce soit.

Fenella a dû sentir qu'elle avait créé un embarras. Elle a bu d'un trait le *mint julep* dont elle s'était déjà servi trois verres.

– Et Ogopogo ? Vous avez vu ça ?

Je ne m'y attendais pas. J'étais convaincu – c'était plus qu'un accord tacite – que ma mère n'en avait touché mot à personne, même pas à la contremaîtresse. J'ai manqué répondre : « Pour avoir vu, j'ai vu... » mais je me suis forcé à une attitude indifférente.

– Ogopogo ? ai-je dit, avec le naturel du gars qui avale un noyau d'avocat.

– Ogopogo ? a répété Daffodil.

– Non ? Vous n'êtes pas au parfum ? Normal, avec toutes vos histoires, vous n'avez pas le temps d'écouter ces âneries. Tenez-vous bien : il y a un bonhomme, du côté de Fintry, qui prétend avoir rencontré le monstre. Banal, vous allez me dire, on a toute une bande d'azimutés dans la vallée qui y croient dur comme fer. Sauf que celui-là, il y ajoute sa touche personnelle : Ogopogo lui aurait parlé. Je me demande si on peut dire ça comme ça, vu que ce ravagé de la cafetière a expliqué au journaliste que le monstre s'est adressé à lui... avec la voix de sa tante ! La tante du gars, hein, pas celle du monstre. Vous me suivez ?

J'étais incapable d'articuler une syllabe. La fille aux yeux mauves cherchait désespérément, les ongles en pinces, à arracher le duvet qui poussait sur sa tempe. Évidemment qu'on trouverait d'autres témoins. N'ha-a-itk n'avait pas la taille d'une ablette, et s'il se mettait à rendre aux gens leur passé douloureux, il aurait du pain sur la planche.

– Qui est-ce, ce monsieur ? a réussi à bredouiller Daffodil.

– Le pompiste d'un petit bled au-dessus de Fintry… Attendez que je regarde dans cette feuille de chou… Obey Falls, voilà ! Je crois que ce sont les Finley, les proprios de la station d'essence d'Obey Falls. Des satanés ivrognes, les Finley.

Pour soutenir son propos, Fenella a bu une gorgée supplémentaire de son *mint julep*.

– Des ivrognes. Ça explique tout. Remarquez qu'ils sont très sympathiques, autrement. Le grand-père est allé en Écosse…

Ce raisonnement était difficile à suivre. On ne pouvait donc pas accorder foi au récit du pompiste, parce qu'il travaillait pour des alcooliques.

Fenella Mac Lochlainn, rêveuse, le visage rubicond, songeait à son Écosse qu'elle aurait tant aimée natale.

– Moi, je rapporterais des kilts… et des chardons. Et du whisky.

Elle ne traverserait jamais l'Atlantique, tout le monde le savait. Elle préférait son fantasme, ses idées folkloriques, et personne n'aurait essayé de la forcer à se confronter à la réalité. C'était une femme trop lumineuse, qui aurait voulu l'éteindre ?

Revenant à elle, la rouleuse de « r » a clamé :

– Lachlan, fils d'imbécile, je ne comprendrai jamais comment ta pauvre mère peut croire au méchant monstre du lac. Ce n'est même pas un truc d'Indiens. Les trois quarts des habitants de la réserve ont le bon goût de trouver cette légende débile.

– C'est ce qu'on veut que vous pensiez. Nous ne nous confions pas aux Visages pâles à la langue fourchue.

– Ha ! Ha !

Daffodil nous examinait. Après tout, elle n'avait pas l'habitude et, pour un nouveau venu, ça pouvait être un peu confondant.

. 39

Ann Drooler et ma mère sont revenues plus tard qu'elles ne l'avaient promis. Je m'étais endormi, ronflant de concert avec Fenella qui avait fini son pichet de *mint julep*. Mais quand on a sonné à la porte et que je me suis réveillé en sursaut, j'ai tout de suite remarqué que Daffodil avait veillé. Elle s'est ruée dans l'entrée, et je m'en suis voulu de n'avoir pas trouvé la force de lui tenir compagnie. Son pas précipité, ses gestes désordonnés étaient ceux d'une petite fille angoissée.

Le masque de fatigue des arrivantes trahissait la dureté de la bataille qui venait d'être menée.

Daffodil s'est suspendue au cou de sa mère.

– Ça s'est bien passé ?

Ann a hoché la tête. Maman aussi. Elles, si différentes, avaient à cet instant l'air de deux sœurs.

Fenella a mis son poing devant sa bouche, ne dissimulant rien d'un énorme bâillement.

– Super, les filles. Maintenant, si vous le voulez bien, je vais mettre la viande dans le torchon.

– Je ne sais comment vous remercier, a dit Ann Drooler.

– Le mieux, ça serait de me payer. Vous ne savez pas ce que c'est, que de passer une soirée à essayer de séparer deux ados excités.

– C'est... c'est vrai ?

En retournant dans la voiture, la fille aux yeux mauves et moi y avons trouvé trois sacs qui ne s'y trouvaient pas à l'aller.

– Tu es passée à la maison ? a demandé Daffodil à sa mère.

– Flower a eu la gentillesse de... Elle y est allée pour moi. Nous avons ta trousse de toilette, et des affaires.

– Tu n'es pas entrée ? Papa était là ?

– Il... Oui, il était là.

– Qu'est-ce qu'il a fait ?

Maman a devancé Ann :

– Rien de grave. Nous avons juste un peu parlementé, ton père et moi. Nous nous sommes présenté nos arguments...

La femme de Jasper Drooler était en train de le quitter en emmenant leur fille avec elle, pour s'installer, même momentanément, chez des Indiens qu'il détestait par pur racisme. On pouvait imaginer la teneur des arguments du banquier.

– Il n'y a pas eu de cris, ç'a été très discret, a dit la mère de Daffodil. J'étais devant la maison, dans la voiture.

Cet argument, pour elle, emportait tout. On trouvait de l'effacement jusque dans sa révolte. Si sa route n'avait croisé celle de Flower Ikapo, jamais cette femme n'aurait puisé en elle-même la ressource de partir. Il devait y avoir des épouses qui mouraient sous les coups en croyant manifester du tact et de la décence parce qu'elles le faisaient sans bruit, c'est ce que je découvrais avec effarement. Mon enfance avec ma mère guerrière, qui aurait rugi comme une lionne si on avait posé la main sur elle, ne m'avait pas préparé à cela.

J'ai été fier que maman ait procuré cette aide à Ann Drooler et à sa fille. Mais cet orgueil était teinté d'un soupçon de crainte, car le champion de ski nautique devait nous haïr.

Jusqu'où était-il prêt à aller? Si je l'avais bien cerné, ce qui risquait de le faire sortir de ses gonds était, plus que le fait de se retrouver seul, l'idée que ses voisins, ses collègues, les commerçants du quartier apprennent son infortune.

J'ai collé ma cuisse contre celle de Daffodil, dans la moiteur oppressante de la voiture. Nous roulions toutes vitres ouvertes, mais l'air qui pénétrait dans l'habitacle était toujours aussi chaud. La minerve sentait le chien mouillé, j'avais envie de la jeter.

Ma mère a fait claquer sa main gauche contre la portière.

– Un petit crochet par le lac? Ça nous fera du bien!

Elle a braqué à fond, sans attendre une réponse. Même Flower Ikapo ne supportait pas d'aller s'enfermer dans la maison sans revoir les eaux où, la veille, l'homme qu'elle avait aimé s'était adressé à elle. N'ha-a-itk, le grand serpent, se jouait des plus forts esprits. Il frappait au défaut de la cuirasse.

Qu'était devenu Rook depuis l'année dernière? Le Méchant du Lac l'avait si bien fait réapparaître que je ne m'en défaisais plus. Le cadet des Bluebeans se débattait, agitant son *bowie*, menaçant de nous éventrer, puis il gisait sur le revêtement du *skatepark*, et Edward me répétait encore : « Finis-le ! »

Si j'avais écouté ma fureur, j'aurais été déchu sans rémission. Daffodil, assise contre moi, était ma très grande chance, celle par qui ce genre d'horreur ne pouvait plus se reproduire.

Il n'était pas question de remonter jusqu'à Fintry, c'était trop loin, Ann Drooler ne l'aurait pas compris. Nous nous sommes garés près de la rive, dans les faubourgs de l'Ourse. De toute façon, Ogopogo ne s'était-il pas montré à deux endroits, distants de plusieurs kilomètres l'un de l'autre ? Il pouvait surgir n'importe où des eaux de l'Okanagan.

– Vous croyez vraiment que ce monstre existe ?

La question d'Ann Drooler, posée sans préavis tandis que nous descendions de voiture, était devenue saugrenue, pour nous. Elle s'adressait spécialement à maman, et il y avait, dans ces quelques mots, tout un plaidoyer, qui disait que la banquière aurait volontiers cru son enfant, mais que c'était si peu convenable, ces légendes enfantines.

Ma mère a rétorqué :

– Vous pensez que Daffodil vous ment ? qu'elle invente ?

– Non ! Mais elle est si... fantasque.

La fille aux yeux mauves, qui marchait près de moi en traînant les pieds, a trébuché sur une boîte de bière vide. Maman s'est retournée pour l'observer.

– En temps normal, j'aurais gardé pour moi ce que j'ai vu et entendu, je ne suis qu'une pauvre Indienne inculte qui fabrique des médailles, non ? Mais je ne peux pas te laisser dans ce pétrin. Ann, votre gamine a toutes les raisons de...

La bille d'acier est passée entre nous en ronflant. J'ai lu une surprise craintive sur le visage d'Ann Drooler. Cette fois, je savais ce que c'était. J'ai réagi immédiatement, m'accroupissant en tendant les bras vers Daffodil. Mais le tireur était rapide. Une autre bille s'est enfoncée dans ma minerve. J'ai hurlé :

– Couchez-vous !

Sur notre gauche, près d'un bosquet, il y a eu un vacarme de poubelles renversées.

– Le fumier ! Je vais le choper ! a grogné ma mère.

Elle s'est relevée, et dans l'élan elle a sprinté. Ses cheveux volaient dans son dos, elle était aussi rapide qu'une flèche. Ann Drooler, qui ne s'était même pas baissée, a gémi :

– Qu'est-ce qui se passe ?

Daffodil l'a tirée par le bas de sa chemise, l'obligeant à plier les genoux, puis à s'asseoir lourdement sur le gravier.

. 40

Je voulais protéger la fille aux yeux mauves, mais aussi prêter main-forte à maman, qui courait à toute allure en direction du bosquet. Qu'allait-elle trouver là-bas ?

– J'y vais ! a dit Daffodil.

Elle aussi s'est élancée, à la vitesse d'une fusée de feu d'artifice. Je ne m'y attendais pas. Mon rôle de garde du corps était une fois de plus battu en brèche.

– Daffy ! Non ! a protesté Ann Drooler.

Ce devait être le diminutif qu'elle lui murmurait bébé, ou quand elles étaient seules, toutes les deux.

Daffy Ikapo, et Daffy Drooler.

Je n'allais tout de même pas rester planté là, à attendre qu'on se batte pour moi.

Qu'est-ce qui m'a pris ? J'ai parlé d'une façon exagérément polie, comme si je demandais à faire pipi chez une comtesse :

– Veuillez m'excuser, je reviens tout de suite.

J'ai voulu imiter les deux dragsters qui m'avaient précédé, mais la semelle trop lisse de mes baskets a ripé sur les gravillons, et j'ai chuté sur la pointe du menton.

La bille d'acier qui était enfoncée dans la minerve s'est détachée, avant de rouler au sol en tintant.

– Tu t'es fait mal ?

Ann Drooler était compatissante, mais je ne sais pas comment j'ai réussi à me retenir de répliquer : « Pensez-vous ! J'adore raboter les pierres avec ma mâchoire ! Vous devriez essayer ! »

Au lieu de ça, j'ai émis un râle masculin, et, boitillant, j'ai suivi la trace des deux furies.

Les cris m'ont fait allonger ma foulée.

– Tu l'as touché !

– Oui, je crois.

– Championne, tu as du TNT dans les veines ! À cette distance !

Maman a cogné ses phalanges contre celles de Daffodil. J'essayais de trouver un peu d'oxygène dans mes poumons brûlants, après ma course inutile. Tout s'était joué sans moi.

Deux poubelles métalliques, couchées, répandaient leur contenu sur le tapis d'aiguilles de pin.

Une odeur de poisson au curry se mêlait à un parfum de coriandre. J'ai eu faim, tout à coup.

La fille aux yeux mauves secouait son bras aux veines saillantes. Ma mère a enfin paru se rendre compte de ma présence.

– On l'a loupé de peu ! Il a un vélo, et il pédale vite, le sagouin. Mais ta copine lui a lancé une pierre. Il se l'est mangée dans le dos, si je ne m'abuse.

– Qui c'est ?

– Pas la moindre idée, Lachlan. Il était trop loin. Qu'est-ce que tu en penses, Daffodil ?

– Ce n'est pas une femme.

– Maintenant que tu le dis... Oui, c'est un homme.

Nous tenions une piste. J'en trépignais d'impatience.

– Il était grand ? petit ?

– D'aussi loin, dans le sous-bois, et courbé sur son guidon, difficile à dire.

– Et la couleur des cheveux ? Leur longueur ?

– Wooooh ! Du calme, Sherlock. Je n'en sais rien.

– Est-ce qu'on ne devrait pas appeler le sergent Belany ?

– Le mieux, c'est de rentrer, Lachlan. Nous en venons, de la police. Ils vont finir par se demander ce qui ne va pas avec nous... Je les joindrai demain.

Allongé sur le canapé, je ne dormais pas. Les journées s'accéléraient, toujours plus, et ce n'était aucunement un de ces manèges dont il suffit de descendre pour retrouver la terre ferme. Ma vie entière s'était déréglée. Je désirais que cela s'apaise quand l'étourdissement prenait le dessus, mais dès que je récupérais une once d'énergie, je me relançais dans le tourbillon. Que faire d'autre ? M'enfermer dans ma chambre et tirer les rideaux en attendant que tout s'arrête ?

J'en étais chassé, de cette chambre. La fille aux yeux mauves y passait une première nuit. Même si sa mère ne s'était pas trouvée là avec elle, je ne serais pas allé rejoindre Daffodil, j'étais trop intimidé par les circonstances.

Tous ceux que je connaissais possédaient un vélo. Jusqu'à Jasper Drooler qui en avait un, je l'avais vu dans son garage. La plupart des parents de mes camarades également. Ça ne m'avançait guère pour découvrir l'identité du tireur. S'il y avait eu, au moins, quelque chose de caractéristique dans la silhouette qu'on m'avait décrite... Masculine ? À supposer que cela soit vrai, il me restait, en guise de liste de suspect, la moitié de la population de la vallée.

Ann Drooler avait été choquée par l'incident du lac. C'était rude pour elle. Du coup, nous ne lui avions pas parlé d'Ogopogo.

Ogopogo...

« Montrez-moi votre bébé ! Sortez-lui la tête de ce blouson, vous allez l'étouffer ! »

C'était de moi qu'il s'agissait. Du nouveau-né que j'avais été.

Et puis il y avait eu les mots de celui qui était mon père.

La langue qu'avait utilisée le Méchant du Lac n'était pas du colville-okanagan, je l'aurais reconnu. Les sonorités étaient assez différentes, plus gutturales. À peine plus âgée que moi aujourd'hui, ma mère avait aimé cet homme. Et que ressentait-elle aujourd'hui pour Simon Sog, à la figure étoilée ? Deux, trois, quatre, cinq, le nombre de gens qui avaient récemment eu affaire au monstre du lac, et dont nous avions connaissance, augmentait. Le pompiste n'avait pas craint de relater son aventure, et je pressentais qu'il y aurait d'autres témoins.

Dans le clair-obscur du salon, somnolent, j'ai pris lentement conscience de l'importance de ce que nous vivions : si on mettait à part les légendes et les contes, qui avait, dans notre monde moderne, été confronté à cela ? Est-ce que le Méchant du Lac ne mettait pas cul par-dessus tête tout ce qu'on nous avait enseigné ? Les adultes eux-mêmes – l'homme d'Orion, et ma mère – faisaient comme si de rien n'était, parce qu'ils étaient dépassés. Je vivais des événements plus fabuleux que les pas des humains sur la lune, parce qu'on pouvait expliquer par la science comment une fusée s'élevait dans l'espace, alunissait, puis repartait vers notre planète bleue, mais on n'avait à ma connaissance aucun moyen d'élucider le mystère de N'ha-a-itk, le grand serpent, régurgitant le passé de ceux qu'il choisissait.

Qu'y avait-il de véridique dans ces récits venus du fond des âges, où les bêtes s'adressaient à nous? Où les dragons tenaient discours aux chevaliers, et les sirènes persuadaient les marins de se noyer? Pourquoi aurait-on inventé cela, gratuitement? Mais ma raison résistait, parce qu'elle se nommait justement ma raison, et qu'elle était mon garde-fou. Même quand on est un petit enfant, on a beau être gavé de dessins animés où les vaches, les écureuils et les pics-verts bavardent en langue humaine, on sait que c'est faux. On braillerait d'horreur sacrée, si dans le monde réel un cheval nous demandait l'heure.

Mais si, comme je l'avais entrevu, le Méchant du Lac n'était pas un animal? Ou alors un animal d'une autre sorte, tout à fait différent de ce que nous autres avions jusqu'alors expérimenté?

Dans les eaux du monde nageaient des êtres qui nous étaient d'ailleurs quasiment inconnus, ils l'avaient dit dans une émission à la télévision: du raisonnement des grands rorquals bleus nous ne savions presque rien. Ils étaient capables de communiquer à des centaines de kilomètres de distance, sans que nous comprenions comment.

Les hommes se croyaient les rois sur terre, mais alors ils étaient les suzerains d'un peuple qu'ils méconnaissaient.

J'ai glissé du canapé. Pour changer, je ne me suis pas fait mal, mais j'ai dû me débattre contre le drap dans lequel j'étais entortillé.

Une femme a ouvert la porte de la salle de bains attenante en chantonnant :

– *Down the rivers of Babylon...*

Où est-ce que je me trouvais ? Juste avant que la femme n'entre dans ma chambre, je me suis souvenu : Ann Drooler dormait ici. C'était elle qui venait de passer. Elle chantait bien, et ce qui était plus que tout autre chose surprenant, elle y mettait de la joie. Avant de rencontrer son mari, pouvait-elle avoir été une autre Daffodil, petit à petit éteinte par son couple ?

D'une ruade, je me suis dégagé du tissu moite. À cette heure matinale on respirait mal, déjà.

La journée allait être tropicale.

– Salut !

La fille aux yeux mauves se tenait derrière le canapé. Pieds nus, elle n'avait fait aucun bruit.

Elle était habillée d'un pyjama à l'ancienne, avec des carreaux, typiquement Drooler.

Je me suis senti nu, alors que je portais un caleçon. Je devais être transparent, car Daffodil a déclaré, mi-figue, mi-raisin :

– Pas de panique. Je t'ai déjà vu en zlip.

– Z'est vrai.

– N'est-ze pas ?

Ses cheveux repoussaient vite. Et ses sourcils, qui commençaient à pointer sous la ligne de crayon.

– On ne va pas au collège.

– C'est une question, mademoiselle Drooler ?

– Non, c'est une affirmation, monsieur Ikapo. Je vous rappelle que nous sommes bannis. C'est juste un peu... spécial, tu vas voir. Quand on est renvoyé, même pour pas longtemps, tout à coup on a envie d'y aller, au collège. On est nostalgique du cours de maths.

– Daffodil... tu penses à Ogopogo ?

– Pas plus que toutes les dix secondes.

– Tu ne crois pas qu'on devrait... agir ?

– Comment ?

– Le trouver ! Le retrouver !

– On dirait que c'est plutôt lui qui nous trouve.

– Tu crois qu'il nous a choisis, Daffodil ? Pourquoi nous ?

– Je n'ai pas arrêté d'y réfléchir. Est-ce qu'il lit dans nos pensées ? Si c'est le cas, qu'est-ce qu'il a trouvé de particulier dans nos têtes ? Mais nous ne sommes pas les seuls. C'est arrivé à un tas de gens, je le jurerais. Ils se taisent parce qu'ils ne veulent pas qu'on les regarde comme on regarde ceux qui prétendent avoir été kidnappés par des extraterrestres... et je ne peux pas leur en vouloir. Je l'ai vécu.

– Ils verront tous que tu avais raison.

– Pour l'instant, je suis toujours l'anormale.

Maman a déboulé dans le salon.

– Ne traînez pas en pyjama, je déteste ça. Lachlan, range ce drap, remets le canapé en état. Tu prendras ta douche après Daffodil. J'ai appelé Belany, cette femme ne dort jamais, ça doit expliquer ses capacités intellectuelles défaillantes. Elle se contente de dire qu'il ne faut pas vous laisser seuls. Fulgurant génie! Évidemment qu'on ne va pas vous laisser seuls. Ann reste avec vous, elle ne va pas travailler aujourd'hui.

Ça tombait sous le sens: les Drooler occupaient des postes voisins, dans la même succursale bancaire. Si la mère de Daffodil allait là-bas, elle se retrouverait face à face avec celui qu'elle fuyait. J'ai trouvé injuste qu'elle soit obligée de céder le terrain, comme elle avait dû le faire par ailleurs en abandonnant son domicile.

. 41

La fille aux yeux mauves n'avait pas tort : être chassé du collège, ne serait-ce que pour quelques jours, procurait une impression très différente de l'école buissonnière, où on se réjouissait de sa liberté volontaire. Renvoyé, on se sentait en prison à l'extérieur des murs de l'établissement. Les salles de classe aux plafonds striés par les tubes de néon devenaient une terre promise.

« Je devrais y être », se disait-on.

C'était déjà assez inhabituel et dérangeant en soi que le séchage autorisé des cours, mais la présence de Daffodil, chez moi, affolait mes cellules grises. Ann Drooler mettait une touche finale à ma confusion. J'avais remarqué qu'elle essayait de se réfréner, mais elle était trop nerveuse pour y parvenir, et, une minute après qu'elle avait refermé la porte derrière ma mère, la banquière avait commencé à ranger. Son regard s'excusait, mais ses mains avaient pris le contrôle. Un par un, elle avait sorti les torchons du placard de la cuisine, puis elle les avait repassés avec le fer que son sixième sens lui avait vite fait dénicher.

Quand elle s'était attaquée à ma chambre, j'avais failli protester, mais, de guerre lasse, j'avais décidé de laisser faire.

Les parents des élèves renvoyés pour trois jours disent rarement à leur progéniture : « Profitez bien de ces mini-vacances, les enfants. Reposez-vous, détendez-vous. »

Ma mère, en tout cas, n'est pas de cette espèce-là.

– Révisez à fond ce que vous avez déjà appris. Et toi, Lachlan, je te rends ton ordinateur pour que tu puisses demander à tes camarades ce qui a été fait et ce qui sera fait en classe. La petite t'aidera, elle est meilleure que toi. N'est-ce pas, Daffodil ?

Cette tournure interrogative contenait assez de menace pour ne laisser aucune équivoque : nous n'étions pas là pour faire les rigolos.

Je ne savais même pas qu'on pouvait repasser les chaussettes. La seule évocation de ma mère en train de se livrer à cette tâche aurait provoqué chez moi un rire nerveux. Mais Ann Drooler avait une longue expérience de la chose. Toutes nos paires y passaient, avant d'être regroupées couleur par couleur.

La banquière flottait entre deux sentiments. C'était saisissant de lui découvrir un sourire, puis de sentir, l'instant d'après, la formidable angoisse qui la prenait, et lui tordait les traits. J'avais eu tort de me moquer de son obsession des boutons et des plis, manie dérisoire en regard de ce qu'elle avait vécu. Quant à ses fichiers de classement pour les vêtements des autres... ce n'était pas de la méchanceté, peut-être seulement la volonté d'avoir une supériorité à mettre en avant, par rapport à tous ceux dont elle croyait, à juste titre ou non, qu'ils avaient une vie meilleure que la sienne. Qu'ils étaient moins malheureux.

Maman était trop forte pour m'avoir enseigné par l'exemple les fragilités des adultes. En observant les manies d'Ann Drooler, je me hissais un peu plus haut, en direction du monde des grands, qui me devenait plus accessible. Il ne se produisait donc pas, comme longtemps je l'avais imaginé, de transformation surnaturelle dans le processus qui conduisait à l'état de parent.

Nous avons travaillé, puisque nous y étions acculés. Assis dans le salon, sous la garde d'Ann Drooler qui passait maintenant une brosse sur les fauteuils et le canapé.

Maman avait vu juste : Daffodil était beaucoup plus calée que moi. C'était un terrain sur lequel nous ne nous étions pas encore aventurés ensemble, alors que je connaissais la fille aux yeux mauves depuis des mois. En science, elle comprenait les énoncés en les lisant une fois, et elle s'attaquait aussitôt à la résolution du problème, pour revenir sur ses pas en découvrant que j'étais incapable de suivre. Il me restait l'histoire. C'était ma matière forte. Le goût m'en était venu parce que je m'intéressais au passé de mes ancêtres. J'essayais de placer une anecdote sur les colonies britanniques de l'Ouest, pour briller un peu, quand on a frappé à la porte.

De petits coups discrets, à peine audibles.

– Papa ! a dit Daffodil.

Levant la tête de mon cahier, j'ai surpris l'inexpressivité absolue des traits d'Ann Drooler. Cette femme s'était, aurait-on dit, vidée de son sang. À cause de cette détresse, j'ai senti la rage monter. Je n'avais que quatorze ans, et alors ? Personne ne viendrait terroriser des gens chez moi. J'ai repoussé ma chaise.

– Ne bouge pas, Lachlan, je vais voir qui c'est.

Ann se forçait à sourire, comme s'il y avait encore un espoir que ce soit une erreur, que ces coups furtifs ne soient pas la signature du poseur de sabots. Daffodil, à défaut de pouvoir les arracher, a frotté vivement ses cheveux derrière son oreille. J'ai crié :

– J'arrive !

Puis j'ai fait signe à Ann Drooler de rester sur place. Elle ne m'a pas écouté. Ses jambes flageolaient à tel point qu'elle avait du mal à marcher quand elle est allée ouvrir.

De là où j'étais, je n'avais pas de vue sur l'extérieur, que me cachait un angle du mur, mais j'ai reconnu les intonations, traînantes et sèches à la fois, de Jasper Drooler. Ainsi, cet homme ne s'était pas rendu à son travail. Avions-nous commis une imprudence ? Cela m'a traversé l'esprit. De quoi le banquier était-il capable ? Si ma mère avait été présente, cela aurait chassé toute crainte. Elle se montrait plus rassurante, à elle seule, qu'un corps d'armée. Flower Ikapo était si habituée à imposer le respect aux autres qu'elle ne devait pas avoir envisagé qu'on vienne faire du grabuge chez elle, dans l'antre même de la lionne. Je pense qu'elle avait sous-estimé le champion de ski nautique. Aujourd'hui je sais qu'il faut prendre l'exacte mesure des maris qui frappent leur femme : ce sont des hommes très dangereux, parce que leurs actions sont dictées par la peur et la haine, par une couardise sans limite qui les pousse en avant comme des marionnettes du diable. Et quand ils pleurent sur ce qu'ils ont perpétré, c'est sur eux-mêmes qu'ils versent des larmes. Sur la destruction de ce qu'ils aimaient posséder et contrôler.

– Daffodil... famille... efforts... Indienne...

Seuls me parvenaient des fragments du discours de Jasper Drooler, qui, bien que véhément, était articulé à voix très basse, presque chuchotée.

– Pour rien au monde ! a soudain lâché Ann.

Elle, en revanche, avait presque hurlé.

Daffodil a fait valser sa chaise en se levant, puis elle a contourné la table en s'y cognant au niveau de la hanche, bois contre os, un heurt assez violent pour la déporter sur le côté dans sa course.

– Fiche-nous la paix !

La peau de sa nuque s'est soulevée, tandis qu'elle réussissait à y arracher une pincée de duvet.

– Rentre chez toi !

Jasper Drooler a répondu par une insulte qui m'a sidéré. C'était aussi brutal qu'une claque. Pire, d'une certaine manière. Un père ne devait pas s'adresser ainsi à sa fille, il y avait là comme un tabou transgressé. Je croyais avoir découvert les raisons de la trichotillomanie de Daffodil dans la maniaquerie ridicule de ses parents, mais, comme si souvent, je m'étais fourvoyé. La fille aux yeux mauves avait vécu des scènes abominables, des centaines, des milliers sans doute. Si le banquier, tellement soucieux de l'image qu'il donnait aux autres, lâchait de telles abominations en ma présence, jusqu'où allait-il quand il tenait enfermées ses captives ?

Ann Drooler s'est reculée, en essayant de refermer la porte, mais son mari est entré dans la maison.

. 42

L'homme qui a pénétré chez moi ce jour-là n'avait plus grand-chose en commun avec le champion de ski nautique que je connaissais. Ce que m'avait expliqué Daffodil à propos de la peur constante de son père m'avait induit en erreur. Elle ne m'avait pas parlé de ce dont elle avait tant honte, son propre effroi à elle, et celui de sa mère humiliée. C'est comme ça que les maris et les pères frappeurs s'en sortent : ils comptent sur le silence de leurs victimes, ils savent que leurs appréhensions les bâillonnent, qu'elles redoutent qu'on les accuse d'avoir une responsabilité dans ce qui leur est arrivé.

Je n'avais pas non plus pris assez au sérieux la sortie raciste que Jasper Drooler m'avait faite au téléphone, je l'avais mise sur le compte d'une étroitesse d'esprit minable, et là aussi, je m'étais mépris. Le racisme n'est jamais inoffensif. Il commence comme une raillerie ou une mauvaise humeur passagère, et finit dans des bains de sang.

Il y avait tant d'hostilité dans tout ce qu'exprimait cet homme que j'ai eu du mal à continuer à avancer dans sa direction. Jasper Drooler avait changé d'aspect, il avait bu la potion vénéneuse de sa vanité bafouée. L'homme falot avait jeté son habit terne. La poitrine en avant, les mains crispées comme des serres, il m'a dévisagé. Je me suis senti soupesé, et rejeté comme quantité négligeable. Sa chemise sortait de son pantalon, d'un côté. Il s'en moquait, en apparence.

– Maintenant, vous venez avec moi.

Il parlait à la cantonade, ne s'adressant bien sûr pas à moi, mais il ne posait ses yeux sur personne. Un roi, tout à fait, qui édictait sa volonté.

J'ai attendu la réplique d'Ann, qui ne manquerait pas de venir. C'était obligé. La mère de Daffodil n'a pas réagi comme je m'y attendais.

– Viens !

C'était un souffle, plutôt qu'un mot. Elle a attrapé par la main la fille aux yeux mauves, et elles ont foncé vers la porte-fenêtre qui ouvrait sur l'arrière du salon. Jasper Drooler s'est lancé à leur poursuite. Quand il est arrivé à ma hauteur, j'ai essayé de le stopper. Il a mouliné des bras, me griffant la joue.

– Dégage le chemin, nègre rouge !

Poussant sur mes mollets, étiré de tout mon long dans mon plongeon, j'ai réussi à le plaquer, alors qu'il m'avait dépassé et qu'il bondissait vers le fond de la pièce.

Je ne m'étais jamais battu contre un adulte. Avec celui-ci je pensais avoir ma chance, mais le banquier, qui n'impressionnait guère sur des skis, avait en revanche la même force nerveuse que sa fille. Au premier coup de coude qu'il m'a donné dans l'épaule, j'ai compris qu'il était trop fort, que je ne pourrais pas le contenir. Il fallait tout de même tenter de gagner du temps, pour la fille aux yeux mauves et pour Ann. Je me suis cramponné à la jambe de Jasper Drooler, m'efforçant de faire de mon corps une boule compacte. Dans cette position, j'étais à peu près à la merci de tout ce que ce dément voudrait m'infliger, j'en étais conscient, seulement je ne voyais que Daffodil et sa mère. Je sentais peser sur moi le jugement de maman, Flower Ikapo la flamboyante, qui avait été si dégoûtée par ce qu'elle avait entendu à mon propos dans la gueule d'Ogopogo. Je voulais recouvrer mon intégrité, même au prix d'un lourd sacrifice. Je voulais être un chevalier qui, pour sa belle et pour l'honneur, affronte les ténèbres.

Le second coup de coude m'a touché en dessous des vertèbres cervicales, et cela a agi comme une clé dans la serrure d'un cadenas : mes bras se sont ouverts malgré moi. Jasper Drooler s'est dégagé, puis il s'est remis debout.

– Ha ! Ha ! Alors, l'Indien ?

Je me raidissais dans l'attente du choc, refusant de fermer les yeux, quand j'ai entr'aperçu une ombre, à l'autre bout du salon.

– Qu'est-ce qui se passe ?

C'était Simon Sog.

Le banquier a grincé une imprécation. Sans que je sache bien pourquoi, j'ai souri, tant cet homme était caricatural. Une espèce de méchant comme on n'en rencontre que dans les films. Un shérif de Nottingham. À partir d'un certain degré, la méchanceté devient grotesque.

– Qu'est-ce que vous faites au gosse ? a repris l'homme d'Orion, en haussant le ton.

À défaut de ski nautique, Jasper Drooler pouvait se reconvertir dans l'athlétisme : il a réalisé un triple saut phénoménal, qui l'a propulsé au-delà de la porte-fenêtre entrebâillée.

– Lachlan, tu es blessé ?

Simon, déjà, se penchait sur moi. Sa douceur m'a fait l'effet d'un baume et, à cet instant, j'ai su pourquoi ma mère s'était endormie sous le massage. Pourquoi elle recherchait cette compagnie. Je me suis relâché, le temps d'un souffle, mais aussitôt la tension est revenue, et j'ai marmonné :

– Il faut le rattraper ! Il est après Ann et Daffodil !

Maman avait dit beaucoup de choses à Simon Sog. Il avait l'air de connaître l'essentiel de ce qui nous concernait. Même pour les Drooler, il savait ce qui était en train de se produire.

Mais lui non plus, manifestement, n'avait pas imaginé que le banquier soit capable de se montrer chez nous. S'il était passé pour voir comment nous allions – après avoir déposé Royal à son école –, ce n'était que parce que ma mère lui avait demandé de jeter un coup d'œil s'il se trouvait à proximité, et si son emploi du temps le lui permettait.

– Il est armé ?

La question m'a pris de court.

– ... Je ne crois pas. Il faut qu'on y aille ! On va les perdre !

– Laisse-moi appeler Flower. Et la police.

– Pas le temps !

L'homme aux étoiles a amorcé le geste de me retenir, mais il s'est ravisé, se contentant de me suivre.

J'avais perdu une bonne minute, je ne savais dans quelle direction courir. J'ai fait la toupie sur le gazon, écoutant, flairant, priant pour un indice. Depuis notre maison il y avait des tas d'embranchements, qui étiraient leurs longs tentacules vers la nature, ou vers le centre de Kelowna. Le plus raisonnable, de la part d'Ann Drooler, aurait été de choisir la ville, mais je me suis pris à penser comme elle, à ressentir sa panique, et j'ai choisi la direction du lac.

Simon Sog m'a suivi, sa foulée élastique, si particulière, ne produisant qu'un petit bruit mouillé sur l'asphalte gluant. En tournant à un croisement, j'ai eu la vision fugitive d'un cycliste roulant derrière nous, mais j'étais trop accaparé par la poursuite pour y prêter réellement attention. Pourtant la canicule écrasait les rues, on n'y trouvait même pas un scorpion ou une fourmi.

– Ça ne sert à rien, a fini par s'écrier l'homme d'Orion.

Les chances de retrouver la fille aux yeux mauves, sa mère et son père étaient dérisoires, mais que pouvais-je y faire, renoncer ?

– Par là ! On n'a pas essayé par là !

– Lachlan...

– Allez ! Simon !

Il m'a escorté, sans insister. Je l'ai aimé pour ça. Je le lui revaudrais.

La réverbération des rayons solaires sur les eaux du lac était si intense que j'aurais pu ne pas voir les Drooler, mais ils étaient là, tous les trois. Quelques mètres seulement séparaient Ann et Daffodil de Jasper. La fille aux yeux mauves et sa mère étaient acculées dans une petite crique sableuse. À leur manière de se tenir, même de loin on remarquait leur abattement. Elles avaient trop couru au hasard. Elles ne nous ont pas vus, Simon Sog et moi, parce que nous arrivions à contre-jour dans cette aveuglante luminosité. Autrement, elles nous auraient peut-être attendus avant de se jeter à l'eau. La surface était si parfaitement étale qu'elle a paresseusement ondoyé autour des deux corps qui la fendaient. Mon rêve m'est aussitôt revenu, mon cauchemar huileux où Ogopogo régnait dans son rouge univers, et c'était comme un avertissement, un appel à la compréhension. Mais que devais-je comprendre ? Je ne voyais que Jasper Drooler commençant à barboter, décidé à poursuivre ses victimes jusqu'au bout de la terre. Elles lui appartenaient, elles étaient son identité, sa façade sociale. Jamais il ne céderait. Il préférerait mourir ou tuer. Cette prise de conscience m'a bouleversé. Comment arrêter un homme qui n'avait rien à perdre ? Qu'on ne pouvait toucher ni par la raison, ni par les sentiments ?

La bille d'acier m'a atteint à l'arrière de la cuisse, à la jonction des ischio-jambiers. Je me suis effondré comme si on m'avait coupé la jambe.

. 43

Il est des journées étranges, qui sont une vie en raccourci. Au fil des heures, parfois des minutes, on y passe du désespoir à la joie, des bonnes nouvelles aux catastrophes, et on glisse d'un « à quoi bon » résigné à un fol enthousiasme.

Ce matin, au bord de l'Okanagan, a concentré toutes les émotions que j'étais capable d'éprouver. J'y ai épuisé ma palette entière. Pourquoi, d'ailleurs, ne parler que de moi ? Le destin de l'humanité en a été changé, n'est-ce pas ? Plus personne ne peut faire comme s'il ne s'était rien passé.

Allongé sur le sable, j'ai tourné la tête dans la direction d'où venait le tir. J'avais peur de recevoir une bille en plein visage, mais il fallait que je sache. Simon Sog, à côté de moi, a sauté sur place, esquivant un autre projectile. Il était prodigieusement rapide, comme ces artistes de cirque qui attrapent des flèches en plein vol.

J'avais cru que j'apercevrais un tireur, mais il y avait en fait deux garçons, perchés chacun sur un vélo. Celui qui se trouvait le plus proche de moi était Farren. Dans la distorsion provoquée par la chaleur, il était flou, et il avait plus que jamais l'air d'un elfe, avec ses oreilles pointues.

Cette fois il était à découvert. Certains affirment qu'on prête au grand serpent des pouvoirs excessifs, qu'il ne peut pas influencer autant nos décisions. Ils se trompent. Ann et Daffodil étaient venues près de l'eau parce qu'il le leur avait demandé. Nous tous, depuis des jours, avions tourné autour du lac, avec constance, puisque c'était ce qu'il souhaitait. Cet être ne commande pas comme nous, humains, pouvons le faire. Il suggère, il régule nos pensées avec mesure, détournant la circulation des synapses et des neurones à son énigmatique profit, plutôt qu'il n'y dresse des barrages.

Ainsi, par quelque manœuvre subtile que nous ne sommes pas encore capables de comprendre, Ogopogo avait-il décidé qu'il était temps, pour Farren, de se montrer.

Le garçon qui pédalait derrière lui était Edward.

Mon souvenir est nébuleux. C'est que j'étais partagé entre deux situations également urgentes, sans parvenir à choisir. Mon amour, Daffodil Drooler, et sa mère nageaient dans le lac, poursuivies par leur tortionnaire. Mais Farren tendait son lance-pierre, et à cette distance, comment aurait-il pu me rater ? Je ne voulais même pas tenter d'esquiver. Que cela vienne de lui était si décourageant, si décevant. Tant pis pour moi, tant pis pour nous tous.

Edward lui est rentré dedans si vite qu'il a fait un soleil, toujours assis sur son vélo, une sorte de figure de BMX. Mais l'élastique s'était déjà détendu. La bille a frappé une côte de l'homme d'Orion qui avait plongé sur moi.

– Raoumpf! a-t-il fait à mon oreille.

Farren a poussé un cri lui aussi, portant la main à son dos. Il était déjà blessé par la pierre que lui avait envoyée Daffodil, et la collision avait dû provoquer une souffrance intolérable. Il s'est redressé malgré tout, et, lui que je n'avais jamais entendu lever la voix, a hurlé :

– Lâcheur ! Sale lâcheur !

La colle, petit à petit, avait modifié la façon dont parlait Farren. Je n'y avais pas pris garde, ou plutôt, je m'étais refusé à en tenir compte. Il revenait aux intonations des années passées, celles que je lui avais connues quand nous avions six ou sept ans. Je crois qu'il était tellement perdu, laminé par la drogue, qu'instinctivement il se repliait sur ce qu'il connaissait de lui-même, sur ce qui se rapprochait le plus d'une base stable : son état de petit enfant.

– Tu t'en fous, de moi ! Tu me laisses crever !

Farren agitait son lance-pierre comme un hochet de danseur de pluie.

– J'y croyais !

À l'amitié. À la persistance. Aux engagements qui ne se défont pas. C'est à cela qu'avait cru le garçon aux oreilles de renard, et j'avais déserté. Emporté par mon désir de servir la cause de Daffodil, j'avais balayé mes anciens engagements, me complaisant à jeter dans le même sac quatre garçons si différents les uns des autres. Au cours de nos années de guerre stupide, Farren avait toujours été le meilleur. Bien plus brave que moi, et jamais triomphant. De ceux sur qui on peut compter, qui nous sont assurés quoi qu'il arrive. La drogue ne l'avait pas fait varier, en cela. Même les tubes de colle n'avaient pas pris le pas sur cette rectitude. Comment la bascule, alors, s'était-elle faite ? Les billes d'acier, la banderole, le vol de nos affaires, c'était si peu dans la nature de Farren. Mais je me suis rappelé que j'avais envisagé sa mort comme la suite inéluctable de son addiction, et que cela n'avait pas provoqué en moi assez de tristesse pour qu'enfin je me décide à l'aider.

Seule Daffodil comptait, depuis des mois et des mois. Rien ne pouvait m'excuser. J'avais remplacé une affection par une autre, comme j'aurais changé de portable.

Farren a sorti de sa poche une autre bille. Le soleil le frappait de face, il plissait les paupières à la façon d'un myope sans lunettes.

– Celle-là, c'est pour ta gueule, lâcheur !

Simon Sog a ramassé une poignée de sable gravillonneux qu'il a lancée en direction du garçon aux oreilles de renard, mais les grains, comme vaporisés par la chaleur, se sont dispersés dans l'air. J'ai essayé de me relever. Ma jambe inerte n'a pas répondu. Je me suis contorsionné pour tenter de voir les Drooler. J'étais trop ébloui pour discerner quoi que ce soit. Comme je m'étais détourné, je n'ai pas vu le vélo qu'Edward lançait sur Farren. J'ai juste entendu le bruissement d'une roue qui tournait à vide.

L'homme aux étoiles a rejoint mes anciens amis. Il a repoussé Edward qui, posant comme un chasseur avec son trophée, appuyait son genou sur la poitrine du garçon aux oreilles de renard.

– Fais de la place.

Le tueur de chiens n'a pas obéi tout de suite. Il a attendu une seconde, le temps d'affirmer sa supériorité. Puis il a cédé le terrain.

– Il est tout à vous, monsieur. Maintenant que j'ai réglé le problème.

Simon Sog a posé la joue contre la poitrine de Farren. Il a eu l'air soulagé. Il a sorti son téléphone, et j'ai reconnu le son des touches : 9-1-1.

Sur le lac, loin du rivage, la tête de Daffodil, celle d'Ann, et celle de Jasper, flottaient, minuscules bouchons dans le grand miroitement. J'ai commencé à ramper dans le sable crissant. L'idée de rester sans rien faire était trop insupportable, car tout s'accomplirait bien avant la venue des secours.

Ogopogo, N'ha-a-itk le grand serpent, le Méchant du Lac, a jailli. Ses écailles étaient cette fois dorées, et la brillance de cette armure gênait son observation, tel le miroir qui renvoie les rayons solaires.

« Tu es à moi ! Tu es ma femme, et tu m'appartiens, et ma fille aussi est à moi ! »

C'était la voix du banquier, amplifiée, qui tonnait sur les eaux.

« Je ne vous laisserai jamais partir. Tu ne le comprends pas, Ann ? Tu ne peux pas te mettre ça dans ta tête d'idiote ? »

Le monstre paraissait avoir grandi, depuis que nous l'avions vu. Son cou émergé était si long, sa tête s'élevait si haut dans le ciel. Sa langue trifide aux teintes coralliennes a pointé entre ses dents.

La plainte de Jasper Drooler m'est parvenue aussi nettement que s'il s'était tenu près de moi. Elle était portée par l'eau, et elle trahissait la peur bestiale du banquier, qui a battu des bras dans de grandes éclaboussures, pour s'éloigner du monstre.

«Je t'assure, maman, Lachlan est... il est super! Je me sens bien avec lui. Il m'aide vachement au collège.»

Daffodil s'exprimait maintenant par la gueule d'Ogopogo, mais, simultanément, j'ai perçu la voix de Simon Sog:

«Zelda! Zelda!»

Puis celle de Farren:

«Il faut que j'arrête, je dois arrêter cette merde...»

Et celles d'Ann, d'Edward, la mienne:

«Jasper, je t'en supplie! – on va leur donner une leçon – je ne veux pas finir comme l'Idiot – une leçon – sa jupe n'est même pas repassée – on va leur donner – laisse au moins respirer ta fille – Baldy Dee-Dee – Zelda...»

Toutes, ensemble:

«Je me fais juste un dernier tube, un dernier tube – Paul, ta mère n'est plus là – oui, j'ai vu Ogopogo! – Vrrr! À la maison, chauffeur! – je peux y aller, je suis rassuré – elles ne s'en iront pas sans moi – *homeboy!*»

Le tintamarre m'a forcé à me boucher les oreilles. Le Méchant du Lac se dressait, tour écailleuse et flamboyante. Il vomissait sur nous nos propres malédictions, nos amours et nos craintes.

. 34

Pour quelle raison Ogopogo n'a-t-il pas plongé, cette fois ? Un événement précis l'a-t-il décidé à rester plus longtemps en surface ? Ce questionnement appartient à l'histoire, et si mille savants ont depuis proposé leurs explications, à dire vrai, nous n'en savons rien. Je ne peux croire que nos destins particuliers – celui de Daffodil, le mien, celui de ma famille et de mes anciens amis – aient décidé de la conduite du grand serpent. Il avait vu passer tant d'humains, et pour lui nous n'étions pas moins insignifiants que tous les autres.

C'est du moins ce que j'imagine.

Ainsi, quand les secours sont arrivés, le Méchant du Lac n'a pas sondé. Son cou sans fin se balançait à peine dans l'air brûlant, mais, à intervalles réguliers, il le plongeait dans l'eau, probablement pour éviter la déshydratation. Le monstre a ajouté, à son galimatias, des mots touchant au monde intime et secret des ambulanciers, des phrases qui ne signifiaient rien pour moi, mais qui les atteignaient, eux, au cœur. Un de ces hommes s'est enfui en courant, plus terrifié que si on avait craché des flammes sur lui. Jasper Drooler l'avait précédé, passant près de nous sans rien voir, récitant une sorte de prière, le pantalon couvert de sable mouillé, car il s'était traîné sur la rive pour sortir du lac, essayant de marcher et nager à la fois. Ogopogo nous dévoile à nous-mêmes ce que nous sommes, c'est un de ses tours, alors comment le champion de ski nautique en serait-il sorti sans dommage?

Ann et Daffodil m'ont rejoint tandis qu'on auscultait Farren. Chaque geste prenait une signification nouvelle, quand il était accompli sous le regard du grand serpent. Très vite, d'autres voitures ont rejoint la plage. Des gens à pied. La foule troublée se taisait, elle écoutait N'ha-a-itk, Ogopogo, le monstre lacustre, dégorger sur elle le torrent de ses vérités enfouies.

À quelques pas de moi, une vieille femme a tendu quelque chose en direction du Méchant du Lac. Je pensais que c'était une canne, mais le déclic de la culasse m'a fait sursauter. Je me suis raidi dans l'attente de la détonation. La vieille n'a pas tiré, cependant. Très lentement, comme à contrecœur, elle a baissé sa carabine. Beaucoup de choses de ce genre se sont produites, depuis ce jour. Ce n'était pas un scrupule qui avait saisi celle qui voulait tuer le monstre, mais lui, Ogopogo, qui l'avait empêchée de nuire. Nous sommes bien obligés de nous en rendre compte: chaque fois que nous, humains, voulons attenter à la vie ou à la liberté du grand serpent, notre désir se dissout. Combien d'hommes le gouvernement a-t-il envoyés pour capturer la créature? Combien de soldats, de policiers, de mercenaires? Même les combinaisons antiradiations, les masques à gaz les plus sophistiqués sont impuissants.

Ceux qui ont pris leurs ordres, qui sont décidés à en découdre au nom de la sûreté du pays, ou de la science dont il faut combler les lacunes, s'effondrent, perdant le contrôle, le temps de renoncer à leur entreprise. On a même envoyé des hélicoptères, puis un avion, pour essayer d'endormir le monstre avec un projectile. Les pilotes ont fait demi-tour, malgré, dit-on, les menaces proférées par les chefs. Tout le monde le sait. La terre entière, et pas seulement le Canada. Sur ce qu'il convient de faire, les avis sont partagés. La politique, les religions s'en mêlent. On parle parfois de Léviathan, de bête de l'Apocalypse, mais ils sont finalement peu nombreux ceux qui voient en Ogopogo un être nuisible. Il y a une raison à cela: Kelowna est devenue un lieu de pèlerinage, on s'y presse en une foule innombrable qu'il faut canaliser, mais pas un de ceux qui réussissent à faire face au monstre – quand celui-ci se montre et c'est fréquent désormais – n'a jamais par la suite déclaré qu'il fallait le détruire. Les gens qui veulent l'éliminer ne l'ont pas approché.

Après que Farren a été mis dans l'ambulance, je suis allé trouver Edward. Comme nous tous, il ne lâchait pas le grand serpent des yeux. J'aimerais dire que le tueur de chiens était changé, que le spectacle stupéfiant du Méchant du Lac nous surplombant le frappait d'une terreur respectueuse, mais il ne cillait pas.

– L'anormale avait raison, en fin de compte, a-t-il dit.

– Qu'est-ce que tu fous là ? Tu devrais être au collège.

– J'ai vu que Farren se barrait à l'interclasse. La dernière fois qu'il l'avait fait, vous aviez eu de petits ennuis, et comme je me sers de ma tête...

– Tu savais que c'était lui qui m'attaquait.

– La colle lui a bien rongé le cerveau. Et puis la félonie, bien sûr. Les gars du genre fidèle, ils ont du mal à comprendre qu'on les lâche. Surtout quand ils ont besoin d'aide. Les pauvres chéris.

– Ils disent qu'il va s'en remettre.

– De mon vélo dans la gueule ? Oui. Mais c'est lui qui va se tuer tout seul. Il n'y aura personne pour l'en empêcher.

– Si. Moi.

– Pour ça, il faudrait que tu lâches la main de la chauve, saint Lachlan. Excuse-moi, mais j'aime mieux écouter ce que ce serpent a à dire.

– Hé ! *Homeboy !*

– Je ne suis pas ton *homeboy*.

– Pourquoi est-ce que tu nous as aidés ?

– Laisse-moi écouter le monstre.

Edward est parti précipitamment pour un camp d'été quelques jours plus tard, à la fin de l'année scolaire, laissant Owyn et Rayford à leur misère. Tout le monde a compris pourquoi il s'inquiétait des discours du Méchant du Lac. Il redoutait une révélation. Nous n'aurions jamais rien su si Ogopogo ne l'avait recraché en public : Betsy Sink, la poissonnière si douce à l'éternel sourire, était une mère cannibale, tellement sans cœur et maligne quand elle s'adressait en privé à son fils que, la première fois que j'ai entendu sa voix dans la gueule du monstre, j'ai pensé m'être trompé. Il ne m'appartient pas de répéter ce que le grand serpent a régurgité. Mais aucun enfant n'aurait affronté cela sans en garder les séquelles. Je ne crois pas que ce soit suffisant pour excuser l'empoisonnement d'un chien, et la constante volonté de détruire ses semblables. Mais c'est un début d'explication. Le mal ne naît pas par génération spontanée.

La leçon m'a été profitable. Grâce à cela, je me suis pour de bon détaché des apparences. Tout un chacun a pu faire de même, dans la population de l'Ourse et dans les rangs des visiteurs. Le Méchant du Lac discourait sans discernement, et sans égards. Le temps de quelques phrases exposées à tous, certaines personnes qu'on n'aimait pas ont changé de statut. Ogopogo avait mis la lumière sur leur vraie nature, plus belle et plus touchante qu'on ne l'avait cru. Les sentiments dissimulés au plus grand nombre ne sont pas toujours négatifs.

Face au monstre, il n'y avait plus de mensonge possible. J'ai vu, à la télévision, une émission qui faisait s'affronter des scientifiques, des religieux, et des philosophes.

– La créature est une matérialisation du surmoi, disait l'un.

– Une manifestation divine de la conscience, répliquait l'autre.

– Pas du tout ! Un animal doué de raison, et d'un pouvoir télépathique, affirmait un troisième.

J'ai éteint le poste, et je suis allé sur le Net. C'était cent fois pire là-dedans. Le grand serpent cristallisait les tourments et les espérances du monde. On sondait tous les lacs. Les gouvernements avaient même interdit l'accès à certains d'entre eux. Si on venait à découvrir d'autres créatures aux pouvoirs similaires, ailleurs ? Si la réalité des cœurs s'imposait partout ? La plupart des politiciens canadiens refusaient déjà, obstinément, de s'approcher de l'Okanagan. On comprenait pourquoi, et on riait à leurs dépens.

La ruse n'est plus de mise ici. C'est inédit dans l'histoire humaine, depuis Ulysse qui trompait Polyphème, le très renommé Cyclope, jusqu'aux détours de Machiavel.

Ogopogo est toujours là, vous le voyez sur vos écrans, vous qui n'avez pas la chance de lui rendre visite.

Un soir où l'été prenait fin, et avec lui la terrible chaleur, nous nous sommes trouvés réunis, Daffodil, maman, Ann, Simon, Royal et moi, autour d'un barbecue, devant la maison des Sog.

Je revenais de l'hôpital où je ne m'étais pas rendu en tant que patient, pour une fois, mais en tant que visiteur. Farren s'y trouvait en désintoxication. La bonne volonté tardive n'efface pas tout : pour la quatrième fois, le garçon aux oreilles de renard avait refusé de me voir. J'y retournerais, jusqu'à ce que nous puissions nous parler. Maman et moi avions réussi, avec l'aide des médecins, à convaincre le sergent Belany et l'appareil judiciaire qu'il fallait abandonner les poursuites. Je boitais, cependant, l'arrière de la cuisse déchiré par la bille. Pour moi, c'était l'été des blessures et celui des ravissements.

Les braises grésillaient sous les blancs de poulet, les légumes et les saucisses. Nous étions un peu égarés, puisque nous vivions dans une réalité modifiée. Nous ne pouvions rester longtemps sans penser au Méchant du Lac.

Les cheveux de la fille aux yeux mauves avaient repoussé de cinq bons centimètres. Elle ne tirait plus dessus. Elle était belle, et je crois qu'elle commençait à le découvrir. Des amis, au collège, avaient surgi de partout, qui se pressaient pour plaire à celle qui avait, la première, parlé du monstre. Daffodil les écartait sans colère. Elle avait trouvé la paix depuis que son père était retourné à Ottawa.

– Flower, a-t-elle demandé, que s'est-il vraiment passé pour l'Idiot ? Ogopogo ne mange pas les gens !

– Ogopogo ne mange personne ! a clamé Royal.

Comme il avait la bouche pleine, il s'est étouffé avec la saucisse qu'il avait engloutie entière, et qu'il s'appliquait à mâcher à grand bruit. Simon lui a tapé dans le dos.

Ma mère a posé une courgette sur le gril, avec l'application exagérée d'un chirurgien optique opérant au laser. Mais Daffodil ne lâche jamais. Surtout quand il est question du Méchant du Lac.

– Hein, Flower ? Qu'est-ce qui s'est passé ?

– On a le droit de raconter ce qu'on veut pour protéger son fils de la noyade.

– Vous voulez dire que vous avez menti ?

– J'ai extrapolé. Sur des bases réelles.

De chez les Sog, on voyait l'Okanagan. J'ai contemplé les eaux claires qui tranchaient sur les rives brûlées par cet été torride. Au-delà de Rattlesnake Island, il m'a semblé distinguer un sillage, un trouble produit par un immense corps en mouvement, sous la surface. N'ha-a-itk, Ogopogo, le grand serpent, Méchant du Lac, allait délivrer son message.

CAMP
PARADIS
JEAN-PAUL NOZIÈRE
Gallimard
scripto
Scripto
David Almond
LE JEU
DE LA MOR
Gallimard
Melvin Burgess
KILL ALL
ENEMIES
Gallimard
Scripto

Glaise
David Almond

Le Jeu de la mort
David Almond

Le Cracheur de feu
David Almond

Imprégnation
David Almond

Douze heures avant
Gabriella Ambrosio

Feuille de verre
Kebir M. Ammi

Interface
M. T. Anderson

Becket ou l'Honneur de Dieu
Jean Anouilh

L'Alouette
Jean Anouilh

Thomas More ou l'Homme libre
Jean Anouilh

Ne fais pas de bruit
Kate Banks

Amis de cœur
Kate Banks

Le Muet du roi Salomon
Pierre-Marie Beaude

La Maison des lointains
Pierre-Marie Beaude

Leïla, les jours
Pierre-Marie Beaude

Quand on est mort, c'est pour toute la vie
Azouz Begag

Garçon ou fille
Terence Blacker

Zappe tes parents
Terence Blacker

Fil de fer, la vie
Jean-Noël Blanc

Tête de moi
Jean-Noël Blanc

La Couleur de la rage
Jean-Noël Blanc

Chante, Luna
Paule du Bouchet

À la vie, à la mort
Paule du Bouchet

Mon amie, Sophie Scholl
Paule du Bouchet

Je vous écrirai
Paule du Bouchet

L'Algérie ou la Mort des autres
Virginie Buisson

24 filles en 7 jours
Alex Bradley

Spirit Lake
Sylvie Brien

Junk
Melvin Burgess

Lady
Melvin Burgess

Le Visage de Sara
Melvin Burgess

Kill All Enemies
Melvin Burgess

La Dose
Melvin Burgess

Le Rêve de Sam
Florence Cadier

Les Gitans partent toujours de nuit
Daniella Carmi

Mauvaise graine
Orianne Charpentier

Après la vague
Orianne Charpentier

La Vie au bout des doigts
Orianne Charpentier

Lettre à mon ravisseur
Lucy Christopher

Attraction Mortelle
Lucy Christopher

Max
Sarah Cohen-Scali

Bonnes vacances
Collectif

La Première Fois
Collectif

De l'eau de-ci de-là
Collectif

Va y avoir du sport!
Collectif

La Mémoire trouée
Élisabeth Combres

Souviens-toi
Élisabeth Combres

Sans prévenir
Matthew Crow

Coup de chance et autres nouvelles
Roald Dahl

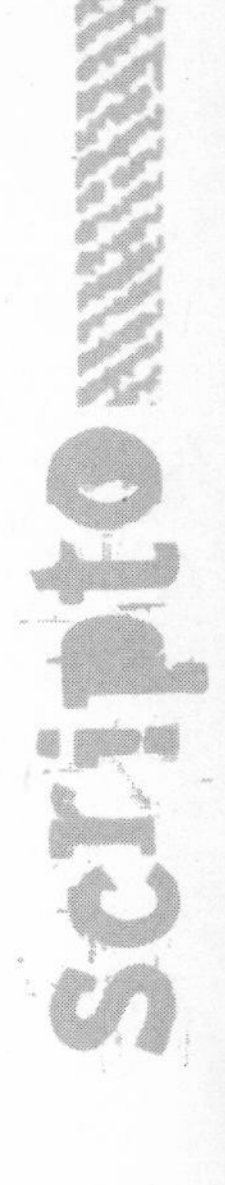

Ce voyage
Philippe Delerm

Cher inconnu
Berlie Doherty

La Parole de Fergus
Siobhan Dowd

Sans un cri
Siobhan Dowd

Où vas-tu, Sunshine ?
Siobhan Dowd

Celui qui sera mon homard
Tom Ellen & Lucy Ivison

Dis-moi qu'il y a un ouragan
Fabrice Émont

On ne meurt pas, on est tué
Patrice Favaro

Que cent fleurs s'épanouissent
Jicai Feng

Le Feu de Shiva
Suzanne Fisher Staples

Afghanes
Suzanne Fisher Staples

La Fille de Shabanu
Suzanne Fisher Staples

Ce que tu m'as dit de dire
Marcello Fois

Jours de collège
Bernard Friot

Voyage à trois
Deborah Gambetta

Où est passée Lola Frizmuth ?
Aurélie Gerlach

Qui veut la peau de Lola Frizmuth ?
Aurélie Gerlach

Qui es-tu, Alaska ?
John Green

La Face cachée de Margo
John Green

Will et Will
John Green et David Levithan

L'été où je suis né
Florence Hinckel

Incantation
Alice Hoffman

La Prédiction
Alice Hoffman

Boulevard du Fleuve
Yves Hughes

Polar Bear
Yves Hughes

Septembre en mire
Yves Hughes

Vieilles neiges
Yves Hughes

Mamie mémoire
Hervé Jaouen

Une fille à la mer
Maureen Johnson

Suite Scarlett
Maureen Johnson

Au secours, Scarlett!
Maureen Johnson

La Bête
Ally Kennen

Déchaîné
Ally Kennen

Haïti, soleil noir
Nick Lake

Des pas dans la neige
Erik L'Homme

15 ans, welcome to England!
Sue Limb

15 ans, charmante mais cinglée
Sue Limb

16 ans ou presque, torture absolue
Sue Limb

16 ans, S.O.S. chocolat!
Sue Limb

Un papillon dans la peau
Virginie Lou

Enfer et Flanagan
Andreu Martín
et Jaume Ribera

13 ans, 10 000 roupies
Patricia McCormick

Ne tombe jamais
Patricia McCormick

Sobibor
Jean Molla

Felicidad
Jean Molla

Silhouette
Jean-Claude Mourlevat

Le ciel est partout
Jandy Nelson

Le Soleil est pour toi
Jandy Nelson

La Vie blues
Han Nollan

Un été algérien
Jean-Paul Nozière

Bye-bye, Betty
Jean-Paul Nozière

Maboul à zéro
Jean-Paul Nozière

Là où dort le chien
Jean-Paul Nozière

Le Ville de Marseille
Jean-Paul Nozière

Mortelle mémoire
Jean-Paul Nozière

Camp Paradis
Jean-Paul Nozière

Zarbie les yeux verts
Joyce Carol Oates

Sexy
Joyce Carol Oates

Les Confidences de Calypso
Romance royale - 1
Trahison royale - 2
Duel princier - 3
Mariage princier - 4
Tyne O'Connell

On s'est juste embrassés
Isabelle Pandazopoulos

La Décision
Isabelle Pandazopoulos

Sur les trois heures après dîner
Michel Quint

Arthur, l'autre légende
Philip Reeve

Mon nez, mon chat, l'amour et... moi
Le Journal intime de Georgia Nicolson - 1
Louise Rennison

Le bonheur est au bout de l'élastique
Le Journal intime de Georgia Nicolson - 2
Louise Rennison

Entre mes nunga-nungas mon cœur balance
Le Journal intime de Georgia Nicolson - 3
Louise Rennison

À plus, Choupi-Trognon
Le Journal intime de Georgia Nicolson - 4
Louise Rennison

Syndrome allumage taille cosmos
Le Journal intime de Georgia Nicolson - 5
Louise Rennison

Escale au Pays-du-Nougat-en-Folie
Le Journal intime de Georgia Nicolson - 6
Louise Rennison

Retour à la case égouttoir de l'amour
Le Journal intime de Georgia Nicolson - 7
Louise Rennison

Un gus vaut mieux que deux tu l'auras
Le Journal intime de Georgia Nicolson - 8
Louise Rennison